Interpreting:
How to Begin & Continue Your Career

通訳の仕事
始め方
続け方

通訳・翻訳ジャーナル編集部
一般社団法人　日本会議通訳者協会（JACI）　編

はじめに

　通訳の仕事に、どのようなイメージを持っていますか？　通訳は、単に「語学力がある」だけでは務まりません。プロとして活躍中の通訳者は、トレーニングにより逐次通訳や同時通訳という特殊なスキルを習得し、さらにさまざまな専門知識をインプットして仕事に臨む、まさに"スペシャリスト"なのです。

　ただ昨今、通訳者を取り巻く環境は変化しつつあります。背景には、AIの進歩で自動（機械）翻訳・通訳の技術開発が進められ、実際に使用されるケースも増えていることが挙げられます。また、2020年に起こった新型コロナウイルス感染症の流行により、遠隔（リモート）で通訳を行うスタイルが普及したことも影響しています。ただ、自動通訳の技術はまだまだ発展途上で人間の同時通訳のレベルとはかけ離れていますし、遠隔通訳は遠く離れたエリア、どこの国の案件でも日本から対応ができるので、多くの仕事のチャンスが得られます。このように環境の変化があったとしても、語学面でコミュニケーションをサポートする通訳者の役割の重要性が揺らぐことはないでしょう。通訳のスキルは難易度が高く、習得するまでに時間がかかるものですが、身につけてしまえば、それを生かす場はたくさんあるのです。

　本書では、通訳者・翻訳者向けの季刊誌『通訳・翻訳ジャーナル』編集部の記事をベースに、通訳者間の情報交換や通訳者の育成や社会的地位の向上などを目的とした団体、一般社団法人 日本会議通訳者協会（JACI）の編集協力のもと、通訳者になるために必要な情報をまとめました。

　前半を「入門編」とし、これから通訳を学んでみたいと思う人に向けて、通訳者の仕事の種類、必要なスキルと学び方を解説します。後半の「実践編」では、すでに通訳訓練をしている人や仕事を始めている新人通訳者に向けて、仕事を増やす方法やキャリアアップについて紹介します。さらに、活躍中のプロのインタビューも複数掲載します。巻末には、仕事のコツを通訳者が解説する動画の特典も用意しています。

　これから通訳者をめざす人、駆け出しの通訳者の人、通訳者として長く活躍したい人に活用していただければ幸いです。

Contents

Part 03 実践編
仕事の始め方・進め方

Part 04 実践編
仕事の
増やし方・稼ぎ方

Part 05
プロの
キャリアと仕事術

- ●「海外大学院に行ってみた」座談会
- ●プロとして進化し続けるための案件記録
- ●効果的な通訳準備のフォーマット
- ●同時通訳ユニットの使い方
- ●録音同通の効率的な方法
- ●『通訳の仕事　始め方・続け方』Part 2 解説
- ●英日サイトトランスレーション~もう一つの観点から
- ●正攻法による数字の攻略
- ●通訳の三原則
- ●ジョークをどう訳すか

＊本書は書籍『通訳の仕事　始め方・稼ぎ方』(2010年／イカロス出版刊)の内容を
　ベースに、全面改訂したものです。

＊一部記事は日本会議通訳者協会の会員の方々の執筆協力のもと作成しています。

＊それ以外は『通訳・翻訳ジャーナル』(2.5.8.11月の21日発売)に掲載した記事をベース
　に加筆・修正しています。

＊記事内の内容は2021年8月末時点のものです。

01

入門編

通訳の
仕事と魅力

通訳とは
どのような仕事なのか

　通訳者の仕事を見たこと、聞いたことはありますか？　海外のスターや
スポーツ選手が来日する際の記者会見、テレビニュース番組などで、通訳
者の仕事の一端に触れる機会はあるでしょう。しかし、通訳者が活躍する
フィールドはそれだけにとどまらず、幅広いのです。

　また、通訳が非常に高度なスキルであり、専門的な訓練が必要であるこ
とは意外と知られていないもの。通訳者はよく「通訳はスポーツと同じ。
毎日練習しないとなまってしまう」と言います。それだけ、日々の訓練や
勉強が必要な仕事なのです。

　通訳の仕事を知るために、まずは通訳について一般の方が抱くイメージ
にそって解説しましょう。

語学が得意なら誰でも通訳ができるのか？

　外国語を聞いて瞬時に日本語にする、また日本語を聞いて外国語にする
のが通訳です。異なる言語を話す人たちの間に立って、意思疎通をサポー
トします。「それなら日本語が話せて英語（外国語）が得意なら、誰でもで
きるのでは？」と思う人も多いかもしれませんが、通訳はそんなに簡単で
はないのです。

　日常会話の仲立ちをする程度であれば、英語（外国語）が話せて、聞き
取れるだけでもできるかもしれません。しかしプロの通訳者が必要とされ
るのは、国際会議や記者会見などの公の場や、企業内の会議などのビジネ
スの場であり、スピーカーが話す内容は専門的な上、スピーカーの英語（外
国語）が必ずしも聞き取りやすいとは限りません。さらに、通訳の手法に
は同時通訳と逐次通訳がありますが（詳細は16ページ）、それぞれに技術
が必要であり、素人がいきなりできるものではないのです。

　また、通訳する内容はさまざまです。例えば医学会議で聞いたこともないような疾患名が出てきたときに、即座に英語に置き換えられるでしょうか？　どんなに英語が堪能な人でもその分野について事前に勉強していなければ、まず訳すことはできないでしょう。それに、英語（外国語）を自然な日本語にするには、「日本語力」も重要になります。帰国生で英語はネイティブ並みという人でも、日本語に難があれば、通訳はできません。

　つまり「英語力（語学力）がある」「バイリンガルである」というだけでは、"プロ"としての通訳は務まらないといえます。

　プロの通訳者として活躍するには、外国語と日本語両方の高度な語学力、特にリスニング力や表現力が必要で、さらに専門知識、通訳スキル（同時通訳や逐次通訳の仕方）を身につける必要があるのです（必要なスキルの詳細は42ページ）。

免許や資格は一切必要なし

　通訳の仕事をするために、免許や資格は一切必要ありません。海外では、通訳者の認定制度や資格制度を設けている国もありますが、日本には通訳に関する公的な国家資格などはありません。

　免許や資格がない分、"実力がすべて"の世界になります。逆を言えば、実力さえあれば、誰でもフリーランスの通訳者として活動することは可能なのです。ですので、現在、第一線で活躍する通訳者は、年齢もばらばら、いろいろなバックグラウンドを持つ人がいます。

　英語力を身につけ、通訳スクールに通って仕事を始めた人、帰国生で元から備わっていた英語力に加えて通訳のスキルを学んでプロになった人、30歳を過ぎてから通訳スクールに通って勉強を始めてプロになった人など、バラエティに富んでいます。

　日本で通訳者として活躍する人がどれくらいいるのかは、フリーランスで働く人が多いため正確な人数は不明です。ただ、通訳者が集まる団体はいくつかあります。例えば、一般社団法人　日本会議通訳者協会（JACI）には530名の会員が登録しています（2021年8月現在）。

帰国生じゃないと通訳者になれない?!

　通訳者は外国語を聞いて日本語に、日本語を聞いて外国語にするわけですから、両方の言語でネイティブ並みの語学力を備えていなければなりません。日本人通訳者にとっては、母語である日本語はともかく、外国語の力をネイティブ並みに引き上げるのはなかなか大変なことです。幼少期に海外に暮らして教育を受けていた帰国生など、海外生活が長い人になると、おのずとネイティブに近い語学力が身につきやすくなります。そのため、現役の通訳者の中では、海外で教育を受けた帰国生の割合が高いのは事実です。

　ただし、日本人の通訳者のすべてが帰国生であったり、長い海外留学や海外生活を経験しているというわけではありません。その理由は、先にも述べたように、外国語だけができても、通訳はできないからです。

　外国語力プラスアルファの能力が必要ですので、帰国生が必ずしも有利ということはありません。活躍中の通訳者の中には、「海外経験はほとんどない」という人もいます。日本国内で語学力を磨き、通訳スキルを学ぶことで、通訳者として活躍することはできるのです。

TOEIC900点、満点も当たり前?!

　通訳者にとって、高い語学力は「必要最低条件」になります。例えば通訳技術を学ぶための通訳スクールに入る時点でも高い語学力が必要になりますが、これは通訳技術を習得するための土台として高度な語学力が求められるからです。通訳スクールにもよりますが、一番下のクラスでも、当初からTOEIC 850点程度は必要な場合もあります。その後、進級するにつれ、通訳スキルを身につけていく中でおのずと、すべてのベースとなる語学力もさらに磨かれていきます。

　ひとたび通訳の学習や仕事を始めてしまうと、TOEICやTOEFLのような語学力を測る試験はあまり受けなくなるようですが、相当に高いスコアを出す人が多いことでしょう。これから通訳者をめざして勉強をしようと

思っている人は、ベースの語学力を底上げしておきたいものです。

通訳と翻訳はまったく異なるスキルが必要

　翻訳は、外国語の文書を日本語に、日本語の文書を外国語にする仕事です。英→日の翻訳であれば、「英語の書き手が仮に日本語ができたらこう書くだろう」というレベルの日本語にする作業になります。通訳と同様に、翻訳も英語（外国語）が読める、書けるというだけではダメで、専門的なスキルが必要な仕事です。

　翻訳と通訳は、外国語を扱う仕事としてひとくくりにされることもありますが、実は「高度な語学力が必要」という点以外は、まったく別物です。

　人前に立って行い、その場の一発勝負でやり直しのきかない通訳者と、ほぼ一日中机に向かい、時間をかけて推敲を重ねた翻訳物を納品する翻訳者とでは、仕事のスタイルが違いますし、性格の向き不向きも異なります。そのため、2つの仕事を掛け持ちする人は、思いのほか少ないのです。

　しかし、クライアントの中には「通訳をしているなら翻訳もできるでしょう」と、通訳者に気軽に翻訳の依頼をするケースもあるそうです（その逆もあります）。通訳と翻訳は、基本的にはまったく異なる仕事であり、両立をしている人は多くはないということを、覚えておきましょう。

＊通訳者に向いている資質＊
・人と接することが好きな人
・人前で話すことが好きな人、苦にならない人
・失敗してもくよくよしない人

＊翻訳者に向いている資質＊
・文章を読んだり書いたりするのが好きな人
・じっと座って作業するのが苦にならない人
・情報収集をするのが好きな人

年齢・学歴は問われず実力主義の世界

　前述のように、通訳者として働くために免許や資格は必要ないので、いろいろなバックグラウンドを持つ人がいます。仕事をするにあたって学歴を問われることも特になく、海外の大学を卒業した人、短大を卒業した人、また理系出身の人や芸術系の勉強をした人など、さまざまです。ただし、通訳者には一般教養や専門分野の知識も必要なので、やはり大学を卒業し、一定の社会人経験を持つ人が多くなっています。

　また、フリーランスであれば、会社員のように定年はないので、年齢制限もありません。実力さえあれば長く働ける仕事です。

　通訳者の平均年齢の統計はありませんが、専門的な訓練が必要で、キャリアがものをいう世界なので、プロの通訳者には20代は少なく、主に30代から50代の人が活躍しています。

　60代、さらに最近は70代の人も珍しくありません。ただ、通訳には瞬発力や記憶力が必要なので、ある程度の年齢になると引退する人もいます。

女性の通訳者が多数活躍

　通訳業界では、女性の割合が非常に高くなっています。もちろん男性の通訳者も大勢います。政治関連の通訳では男性の姿を見かけることも多いようです。正確な統計はありませんが、通訳エージェント（通訳の仕事を企業から請け負い、登録している通訳者に仕事を発注する会社のこと）に聞くと、登録している人の8〜9割は女性のようです。

　その理由には、語学に関心を持つ女性が多いこと、また、フリーランスで働くケースが多いので、実力さえあれば、結婚や出産を経ても自分の好きなタイミングで仕事に復帰できる職であることが挙げられます。実際に、家事や育児をしながら通訳の仕事を続ける人もいます。

　また、通訳は専門スキルですので、仕事の報酬も高め（詳細は131ページ）であり、頑張り次第では相応の高収入を確保することができるという点でも、女性にとっては魅力的な職業だといえます。

通訳と通訳ガイドは異なる業務

　通訳ガイドという仕事があります。正式名称は「全国通訳案内士」。資格試験制度のない通訳と違って、通訳ガイドには年に1度行われる国家試験「全国通訳案内士試験」があります。通訳ガイドは、日本を訪れる外国人観光客に、観光地を案内して日本の魅力を伝える仕事です。

　通訳と通訳ガイドは、名称が似ているため混同されがちですが、まったく異なる業務になります。通訳者は人の発話を訳すのが仕事、通訳ガイドは自ら外国語で観光客に観光案内をする仕事であり、訳すのではなく、あくまで自分の知識と言葉で説明をする仕事になります。

　ただし、通訳ガイドの仕事でも、例えば日本文化体験で茶道を習う際など、先生の言葉をそのまま通訳する機会もあります。また逆に、通訳者の仕事でもアテンド通訳として目的地まで随行するような場合には、観光案内まではいかなくとも、通訳ガイド的なホスピタリティが求められることもあります。

　通訳ガイドの中には、同時通訳や逐次通訳のスキルを身につけて通訳者に転身する人や、ガイドと通訳の仕事を兼業する人もいます。また、英語では通訳と通訳ガイドのすみ分けが明確ですが、それ以外の言語になると全体的に仕事の量が多くはないので、「本業は通訳だけれども、試験に合格したので通訳ガイドの仕事も受ける」という人が少なくありません。また2018年の法改正により、通訳案内士の業務独占規制が廃止されたため、国家試験に合格していない人でも有償の通訳ガイドが可能になったので、もともと語学が得意な通訳者が、通訳ガイドの仕事にチャレンジすることも可能になりました。

※試験や研修を経て資格を持つ人は「全国通訳案内士」「地域通訳案内士」となる。それ以外の人もガイド業務はできるが、「全国通訳案内士」を名乗ることはできない。

通訳の手法は同時通訳と逐次通訳

通訳の種類というと、会議通訳やビジネス通訳、放送通訳など、どの現場でどのような通訳をするかによって分野的な区別をすることができますが（詳細は20ページ）、通訳の手法（技術）は、「逐次通訳（Consecutive Interpretation）」と「同時通訳（Simultaneous Interpretation）」の2つにに大別されます。

逐次通訳とは

スピーカーのある程度まとまった長さの発話（30秒から1分程度）を通訳者がメモを取りながら聞いて、スピーカーが話し終えたところで一気に訳します。通訳者が訳し終えると、またスピーカーが一定の長さを話し、終わると通訳者が訳し始める、という繰り返しになります。

通訳の基本ともいわれる手法で、通訳スクールなどでは、まずこの逐次通訳を徹底して学びます。逐次通訳がある程度できるようになったら、同時通訳の訓練を始めます。ただし、必ずしも同時通訳のほうがレベルが上で、逐次通訳はやさしいというわけではありません。通訳業界には「逐次に始まり、逐次に終わる」という格言があるくらい、逐次は通訳の基本なのです。

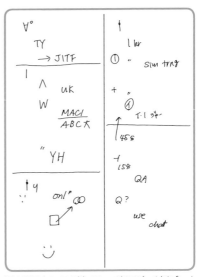

逐次通訳時のメモの例。47ページのスピーチをタブレットでメモ書きしたもの。

　記者会見は逐次通訳が基本です。また、商談や人数が少ない社内会議も逐次通訳で行うことがありますが、時間短縮のためにウィスパリング（詳細は18ページ）で進めることもあります。

同時通訳とは

　スピーカーの発言を聞きながら、間をおかずに同時進行で訳していく手法です。聞くことと訳すことをほぼ同時に行うので「同時通訳」といいます。業界では略して同通（どうつう）と呼びます。

　聞いた内容をすぐに訳出し、訳出しながら聞くため瞬発力が必要です。また、どんなに語学が堪能でも、人の話を聞いてすぐに別の言語に変換する、しかも意味が通るように流れを追って訳すのは難しいものです。ですから、同時通訳は通訳スクールなどで訓練を積み、数をこなさないとなかなかできるようにはならないものです。

　医学会など学術的な内容の国際会議で、スピーカーの専門的な話を瞬時に訳す……こうした同時通訳の仕事は、ある意味、通訳者の仕事の最高峰ともいえます。こうした現場を任されるのは、トップクラスの会議通訳者に限られます。

　また、大きな会議の同時通訳の場合は、通訳者が通訳ブースに入って同時通訳を行うのが一般的で、会議参加者はレシーバーを通じて通訳者の声

同時通訳の簡易ブース（写真提供：バルビエコーポレーション株式会社）。

を聞きます。一方、小規模な会議になると通訳者はヘッドフォンをつけずに直接スピーカーの話を聞き、マイクのついた簡易同時通訳機を手に持って、そこに向かって通訳します。

ウィスパリングとは

会議参加者の中で通訳を必要とする人が一人、または社内ミーティングなどごく少人数の場合によく使われる同時通訳の手法です。通訳者が通訳を必要とする人の隣または斜め後ろに位置し、その人の耳元で同時通訳をします。ささやくように発話することから「ウィスパリング」と呼びます。

ただ、ささやくといっても周りの人に聞こえてしまい、会議の邪魔になってしまうこともあるので、最近は前述の簡易同時通訳機を使うことが増えているようです。

簡易同時通訳機。右は新しいタイプで、セキュリティー強化のために通信が暗号化される。

時差通訳とは

主に放送現場で使われる手法になります。通訳者が事前に放送予定の映像を見て、同時にその音声を聞きながら訳していき、簡単な通訳原稿(または通訳メモ)を作ります。本番の放送時には、通訳者がその通訳原稿を映像に合わせて読んでいく(ボイスオーバーする)ことになります。

通訳原稿を作るための準備にかけられる時間はケースバイケースです。また、放送現場の通訳では、事前に映像を見ることも準備することもなく本番に臨み、そのまま同時通訳をすることを「生同通」と呼びます。この生同通も、非常に難易度が高くなります。

これまでは公共のメディアとしての正確性を重視し、緊急ニュース時以

外は基本的には時差同通で行う放送局が多かったのですが、最近は速報性が重視されるようになり、生同通で放送するケースが増えているようです。

リレー通訳とは

　個々の通訳の手法ではありませんが、多言語間での通訳の進め方で「リレー通訳」という方法があります。例えば、日本で行われる国際会議で、フランス語のスピーカーが発表、聴衆には日本人、フランス人、中国人など各国から人が集まっていると仮定します。まずは仏英通訳者がスピーカーの発表を英語に同時通訳し、それを聴きながら、英中通訳者、英日通訳者などがそれぞれの言語に通訳していきます。この場合、英語を「キー言語」と呼びます。

　仮に、日本語がキー言語であれば、仏日通訳者、日英通訳者、日中通訳者が必要になります。

　参加者やスピーカーの母語が多岐にわたるような大規模な国際会議では、各言語の通訳ブースが設置されて、このようなリレー通訳が行われています。

＜リレー通訳（キー言語が英語）＞

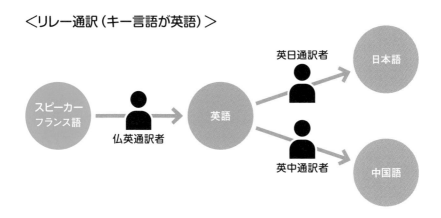

通訳の仕事現場とその種類

　通訳の手法は大きく2つに分かれますが、通訳の仕事を通訳が必要とされる現場のタイプで分けると、いろいろな種類があります。そして仕事の種類によって、求められる能力や、現場の環境などは大きく異なり、そこに手配される通訳者のキャリアも違ってきます。

通訳者の活躍の場はさまざま

　通訳者の活躍の場は、ビジネスや学術会議などの堅い現場から、映画スターの記者会見など華やかな現場、テレビ局などマスコミの現場など、さまざまです。本書では、通訳の仕事をフィールド別に大きく次ページのように分類します。

　またその大まかな分類の中でも、例えば国際会議の通訳ならば、扱うジャンルが金融系の会議なのか医学会議なのかによって、訳す内容は大きく異なり、割り振られる通訳者も違ってきます。

スキルやキャリアによってできる仕事は違う

　いろいろな仕事がありますが、例えば通訳スクールで学んで、上級の同時通訳科を修了してすぐの人が「閣僚級の政治案件をやりたい」と思っても、それはまず不可能です。通訳業界ではキャリアによってできる仕事が大きく異なってくるのです。ベテラン向きの仕事、中堅向きの仕事、新人向きの仕事……と業界内には線引きもあります。

　フリーランス通訳者は通訳エージェント（通訳会社）に登録して仕事をしますが、大体の通訳会社は通訳者をキャリアや実力によってA、B、Cなどランク分けしています。それにより、依頼される仕事の内容も、報酬も

異なるのです（詳細は113ページ）。

　ただし、司法通訳やコミュニティ通訳は、通訳エージェント経由で依頼されるタイプの仕事ではないので、ランクによる仕事の差などはありません。

通訳者の活躍するフィールド

国際会議・政治の通訳
学術会議（医学、IT、環境エネルギー、金融など）
／政府間会議（サミット、ASEANなど）……など　⇒22ページ

ビジネス通訳
社内会議／ミーティング／商談……など　　　　　⇒26ページ

放送通訳
地上波、BS/CSなど生同時通訳放送／音声多重放送……など
⇒28ページ

司法通訳
法廷／警察／検察／刑務所……など　　　　　　　⇒30ページ

エンタテインメントの通訳
映画／音楽／演劇／プロスポーツ／アマスポーツ……など
⇒32ページ

コミュニティ通訳
病院／市町村／学校……など　　　　　　　　　　⇒34ページ

🌐 国際会議・政治の通訳

トップクラスの通訳者が活躍

　通訳の仕事の中でも、難易度が高いとされているのが国際会議や政府間交渉の通訳です。他の通訳の仕事が簡単というわけではありませんが、さまざまな面で高度なスキルが求められます。

　この分野で活躍している通訳者は、キャリアの長いベテランと呼ばれる人がほとんどです。通訳者の中でも「会議通訳」を名乗る人は、それだけの実力者ということになります。通訳志望者は「会議通訳者として仕事をするのが最終目標」という人が多いのです。

どのような仕事？　同時や逐次でさまざまな内容を通訳

　さまざまな物事をテーマにした国際的な学術会議やシンポジウム、さらに政府間交渉などの政治関連の場、二国間または多数の国々が関わる国際会議などで通訳を行う仕事になります。

　通訳の手法は、会議の規模や参加者の人数、内容によって異なりますが、同時通訳が主流です。

　通訳者には、スピーカーの発言の内容を理解して正確に聞き手に伝えることが求められます。国際政治や医学など、生半可な知識では太刀打ちできないトピックを扱うので、高い語学力だけでなく、通訳する内容に応じてその分野の専門知識（用語）、背景知識が必要になります。

　会議通訳、政治の通訳では、キャリアによってできる仕事も変わってきます。通訳者はフリーランスで働く人が多く、通訳スキルに加えて、医学・金融・国際関係・法律など、専門性も身につけて、複数の分野にまたがって仕事を受ける人が多くなります。

　日頃から通訳する分野のニュースや最新の業界事情に触れることで、仕事に生かせるような知識を仕入れておくことが必要です。

会議通訳とは

　複数の言語で開催する国際的な学術会議やシンポジウムでの通訳は難易度が高く、「会議通訳者」と呼ばれる人たちに任されます。会議の規模はさまざまで、大規模だと同時通訳が主流です。通訳者は会議場の一角にある通訳ブースに入って同時通訳し、その音声を参加者がイヤホン（レシーバー）で聞きます。

　会議のテーマは医学、経済、金融、コンピュータなどいろいろですが、専門的な内容になると、手配されるのはトップレベルの通訳者に限られます。会議通訳は通訳者にとって「最高峰」。「会議通訳（者）」はトップレベルの通訳（者）を指す意味でも使われ、逆にそれ以外の仕事を「一般通訳」と呼ぶこともあります。また会議には受付やレセプションがつきもので、その際の通訳は新人から中堅が務めることが多いです。

政治の通訳とは

　サミットなど政治的な国際会議や政府間交渉での通訳です。多国間の会議では、英日だけでなく英仏、英中など日本語以外の通訳者も動員され、「リレー通訳」と呼ばれる方式が採用されます（詳細は19ページ）。

　また、国会議員や官僚などの政府・行政関連の要人と外国人との会談においても通訳者が必要です。これらの仕事は、長年経験を積んだベテラン通訳者に依頼されることが多いです。

会議通訳者の仕事現場

　2020年の新型コロナウイルス感染症の流行以前は、国際会議にしろ、政治関連の通訳にしろ、通訳者は会場に出向いて、通訳ブースの中で通訳を行うことが一般的でした。通訳者は会議場の一角にある通訳ブースに入って同時通訳し、その音声を参加者がイヤホン（レシーバー）で聞いていました。つまり、会議通訳者たちの主な仕事場は通訳ブース内でした。

ただ、それがコロナ禍により変化しました。渡航が制限されたため、国際会議の多くはオンラインでの開催になりました。参加者が多国籍になるような会議であれば、オンライン開催であっても同時通訳は必要で、通訳者が手配されるのですが、その通訳者自身もオンラインで通訳を行う形となりました。これが遠隔通訳（リモート通訳）です。遠隔通訳の場合、通訳者はネットワーク環境の整った場所から通訳をします。自宅で遠隔通訳をする人もいれば、通訳エージェント内の会議室や専用のスペース（遠隔通訳専用のハブなど）で通訳をするケースもあります（遠隔通訳の詳細は146ページ）。つまり、コロナ禍以降は通訳者の自宅や自室も仕事場になっているのです。

●仕事場1　会場設置の通訳ブース

　大規模な国際会議場やホールには、通訳ブースが備え付けられています。通訳ブースは目立たない位置にあり、ホールの裏口などから入ることが多いです。

　通訳ブース内にはマイクと同時通訳機器が備え付けられています。同時通訳機器は音声の出入力チャンネルの切り替えや、マイクのオン・オフを簡単に操作できます。メーカーによっていくつか種類はありますが、基本的な機能はほぼ同じです。

　ブース内は防音壁と扉で、外部の音がシャットアウトされています。静かな空間の中で、イヤホンから聞こえるスピーカーの発話に集中し、マイクに向かって訳出していきます。

通訳レシーバー（受信機）

　通訳者がブース内で同時通訳をしたものを、聴衆が聞くための装置です。会議の会場で参加者に配られます。複数言語の通訳が入る場合、例えば、1. 日本語、2. 英語、3. 中国語など、チャンネルが分かれているので、自分の聞く言語に合わせます。

●仕事場2　簡易の通訳ブース

　通訳する会場に必ずしも通訳ブースがあるわけではありません。むしろ無い会場が多いので、その場合は簡易の通訳ブースが設置されます。個室型になっているものもあれば、17ページの写真のように、テーブルに正面と左右を囲む仕切りを乗せただけの簡易型の場合もあります。

　会場の設備によっては、周囲の音がシャットアウトしきれない、ブースの位置が不適切でスクリーンが見えにくいなど、通訳環境が不安定な場合もあります。しかし、通訳現場がどのような環境であれ、通訳者は通訳のクオリティを保つ努力をしなければなりません。

通訳ブース内ではここに注意

・口元をマイクに向ける→つい、手元の資料を見るために下を向いてしまうことがある
・マイクにぶつからない、音を立てない→原稿や資料をめくる音をマイクが拾ってしまう
・ブース内はきれいに→資料や水など、いろいろなものを持ち込むが、退出時にはきれいに片づける

●仕事場3　遠隔通訳用スペース
（自宅や通訳会社の専用ルームなど）

　2020年以降、遠隔（リモート）通訳が増えています。遠隔通訳はインターネット環境が整っている場所ならどこからでも通訳ができます。海外開催の国際会議の同時通訳を、日本在住の通訳者が務めることも可能です。ただし、ネット環境に加えて周囲の音が入ってこない空間、雑音の入らないマイク、感度の良いイヤホンなどが必要になります。自宅から遠隔通訳をする場合、必要なツールを揃えて、通訳環境を整えることも通訳者の仕事の一つとなりました。通訳会社に遠隔通訳専用スペースがあれば、そこから通訳することで、そうした手間はなくなります。

🏢 ビジネス通訳

どのような仕事？　企業の利益にかかわる場で通訳を

　外国人相手の商談や外国人スタッフがいる企業内のミーティング、テレビ会議、プレゼンテーション、契約や合併・買収の交渉など、ビジネスの場で必要とされる通訳です。通訳者のパフォーマンスによっては、企業の利益を左右しかねない重要な仕事になります。

　ミーティングやプレゼンでは逐次通訳が多くなりますが、社内会議では時間短縮のためにウィスパリングや、簡易同時通訳機を導入した同時通訳も行われます。そのため、逐次通訳にのみ対応可能な新人から、同時通訳もバッチリのベテランまで幅広い層が活躍中です。また、特定の企業に雇用されて通訳者として働く「社内通訳（インハウス）」の需要もあります。

　社内通訳者は通訳エージェントや派遣会社などを通じて派遣される場合と、通訳業務の発生頻度や内容の専門性に応じて、自社で社内通訳者を採用する場合とがあります（詳細は81ページ）。

いろいろなジャンルに対応

　特定の企業の社内会議といっても、その会議のテーマが財務なのか、マーケティングなのか、それとも技術開発なのかによって、通訳者が扱う内容は異なります。また、企業もIT系なのか、自動車メーカーなのか製薬メーカーなのかなど、業種によっても違います。ビジネス分野の通訳では、オールマイティにいろいろな業種・分野に対応できることも重要です。しかしその中から、ある程度は自分自身の得意分野の絞り込みをしておきたいものです。

【ビジネス通訳者のある月のスケジュール】

キャリア7年目。新人から中堅にさしかかろうというところ。仕事内容は逐次が多い。コロナ禍以降、遠隔通訳を自宅で行うことが増えた。

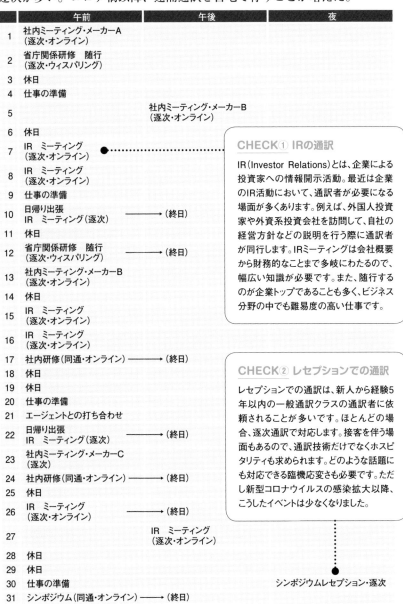

	午前	午後	夜
1	社内ミーティング・メーカーA (逐次・オンライン)		
2	省庁関係研修　随行 (逐次・ウィスパリング)		
3	休日		
4	仕事の準備		
5		社内ミーティング・メーカーB (逐次・オンライン)	
6	休日		
7	IR　ミーティング (逐次・オンライン)		
8	IR　ミーティング (逐次・オンライン)		
9	仕事の準備		
10	日帰り出張 IR　ミーティング(逐次) ────→ (終日)		
11	休日		
12	省庁関係研修　随行 (逐次・ウィスパリング) ────→ (終日)		
13	社内ミーティング・メーカーB (逐次・オンライン)		
14	休日		
15	IR　ミーティング (逐次・オンライン)		
16	IR　ミーティング (逐次・オンライン)		
17	社内研修(同通・オンライン) ────→ (終日)		
18	休日		
19	休日		
20	仕事の準備		
21	エージェントとの打ち合わせ		
22	日帰り出張 IR　ミーティング(逐次) ────→ (終日)		
23	社内ミーティング・メーカーC (逐次)		
24	社内研修(同通・オンライン) ────→ (終日)		
25	休日		
26	IR　ミーティング (逐次・オンライン) ────→ (終日)		
27		IR　ミーティング (逐次・オンライン)	
28	休日		
29	休日		
30	仕事の準備		シンポジウムレセプション・逐次
31	シンポジウム(同通・オンライン) ────→ (終日)		

CHECK① IRの通訳

IR(Investor Relations)とは、企業による投資家への情報開示活動。最近は企業のIR活動において、通訳者が必要になる場面が多くあります。例えば、外国人投資家や外資系投資会社を訪問して、自社の経営方針などの説明を行う際に通訳者が同行します。IRミーティングは会社概要から財務的なことまで多岐にわたるので、幅広い知識が必要です。また、随行するのが企業トップであることも多く、ビジネス分野の中でも難易度の高い仕事です。

CHECK② レセプションでの通訳

レセプションでの通訳は、新人から経験5年以内の一般通訳クラスの通訳者に依頼されることが多いです。ほとんどの場合、逐次通訳で対応します。接客を伴う場面もあるので、通訳技術だけでなくホスピタリティも求められます。どのような話題にも対応できる臨機応変さも必要です。ただし新型コロナウイルスの感染拡大以降、こうしたイベントは少なくなりました。

((((·)))) 放送通訳

　衛星放送や地上波のテレビなどの海外のニュース番組を時差通訳や同時通訳で訳す仕事です。舞台は放送の最前線になり、高度な通訳スキルと海外の政治、歴史や文化に関する深い知識も必要になります。

どのような仕事？
世界中の最新ニュースをわかりやすい日本語で

　アメリカのCNNやABC、イギリスのBBCなど、海外の放送局の最新ニュースは日本でも頻繁に放送されます。その最新映像の音声情報を即座に日本語に訳すのが、放送通訳者の仕事になります。地上波に限らず、BSやCSなどの衛星放送、さらには動画配信サービスなど、映像メディアの種類が増えてニュースに限らずさまざまな海外番組が日本語で視聴できるようになったので、放送通訳の需要は多様化しています。

　放送通訳には大まかに分けて、3つのスタイルがあります。

①海外のニュースを時差通訳で放送

②海外のニュースを同時通訳で放送

③日本のニュースを同時通訳で放送

　事前に放送予定映像を見て、通訳メモや通訳原稿を作成して臨むのが「時差通訳」、生放送の映像を見ながら同時に通訳をあてるのが「同時通訳」（生同通）です。

　かつては正確性を重視して原稿を準備する「時差通訳」が一般的で、「同時通訳」は緊急ニュースや生中継に限られていました。最近は情報の即時性が求められ、「生同通」で放送する番組が昔よりも増えています。

求められるスキル　視聴者を意識した表現と生同通対応

　放送通訳では通訳をする対象が一般視聴者になります。会議通訳ならその場の参加者に向けて通訳し、内容によっては専門用語も多用しますが、

放送通訳では子どもから高齢者までの視聴者を想定し、誰にでもわかりやすい表現や放送規定に則った日本語表現が必須です。また、映像と音声がずれないように訳を出し、聞きやすい明瞭な日本語を話すことが重要視されます。

　また、ネイティブがナチュラルスピードで話すニュースを一度で完璧に理解できる語学力、どのような内容でも対応できる日本語運用能力や情報を要約する力も必要です。さらに、外国のニュースを日本人にわかりやすく伝えるには、その国の歴史や文化的背景に精通していなければなりません。

　通訳者として高いスキルが必要な仕事であり、特に最近は「生同通」が増えたため、高度な同時通訳ができる経験豊かな人材が求められています。

仕事をするには？　放送局で募集。養成スクールは近道

　放送通訳者の仕事場は放送局です。地上波だとNHKで仕事をしている人が多いようです。言語は英語がメインですが、中国語やフランス語通訳者もいます。NHKの場合は系列会社が通訳者を手配し、英語通訳者の新規採用は系列の通訳者養成スクールの修了生を対象にしています。

　NHK以外でも通訳者を独自に採用する海外の放送局もあるようです。その他の放送局や制作会社では、放送・映像に強い通訳エージェントを通じて、フリーランスの通訳者を採用・手配するケースが多いです。

　活躍の場が多様化しているとはいえ、一般通訳に比べるとまだ狭き門です。現在活躍中の通訳者も、会議・ビジネスなどの通訳を経て放送通訳の世界に入ったり、会議と放送の通訳を並行して行う人が多くいます。

ニュースライターとは？
日本語ニュースを外国語にするスペシャリスト

二カ国語放送で使用する英語のニュース原稿を書くスペシャリスト。日本語のニュース原稿を単純に英訳するだけでは、外国人にはわかりにくいもの。外国人の視聴者にも情報が的確に伝わるよう、内容を補足したりカットしたりして、原稿をスピーディに書き上げます。

⚖ 司法通訳

　在日外国人が取り調べや裁判を受ける際に通訳が必要になります。そうした仕事を「司法通訳」と呼びます。いつ仕事が発生するかわからないので、これを専門にして生計を立てる人は少なく、英語以外の言語の需要が多いのが特徴です。

どのような仕事？　捜査と裁判をサポート。稀少言語も

　日本語を話せない外国人の関与する刑事事件の際、警察・検察での捜査や取り調べ、そして裁判、その後、刑務所などで通訳の必要が生じます。

　通訳が必要とされるのは、まず事件発生時の捜査の段階。捜査は警察での取り調べ、さらに検察での取り調べがあります。その後、起訴されれば裁判となり、法廷で裁判官や検察官、弁護人の言葉を通訳する人は「法廷通訳人」と呼ばれます。裁判で有罪が確定すると刑務所に収監され、そこでも通訳者は必要であり、外国人収容者の多い刑務所には語学に堪能な国際専門官が控えています。

　通常、警察・検察での取り調べの通訳と法廷での通訳は、別の通訳者が担当することになっています。言語別では、中国語、韓国語、ベトナム語、ポルトガル語、タガログ語、タイ語などの通訳ニーズが高くなっています。

　刑事事件に関する司法手続きの通訳のほかにも、民事裁判の通訳、法律相談の通訳、入国管理事務所での通訳、さらには不動産売買など、さまざまな法手続きに関わる通訳が発生します。

求められるスキル
意訳は絶対にNG。逐次で一言一句正確に

　法廷や捜査現場での通訳は、すべて逐次通訳で行われ、なおかつ全訳であることが重要になります。一般通訳では通訳者が内容を汲んでわかりやすい表現に置き換えることもありますが、法廷や捜査現場では、言い間違

いやかみ合っていない発言でもすべてが判断材料になるため、通訳者は一言一句正確に逐次通訳しなければなりません。また、法律用語や司法制度を理解しておくことも必要です。さらに、中立的な立場に立ち、私情を交えないこと、情報を口外しない守秘義務の遵守など、職務上の倫理観が求められます。

仕事をするには？　各機関ごとの登録制

　法廷や捜査現場での通訳は、外国人の人権を守り、公正な司法を行うための重要な仕事です。その観点で司法関連の通訳を一般的な会議通訳とは差別化して「コミュニティ通訳」と捉える場合もあります。

　日本では司法関連の通訳者の認定制度は確立しておらず、各都道府県の警察、検察庁、裁判所などが言語別に通訳者名簿を作成し、必要に応じて依頼します。仕事をするには、通訳の依頼元である各都道府県の警察、検察、裁判所、弁護士会などのホームページなどをあたって募集を調べ、必要に応じて試験などを受けて「通訳者名簿（リスト）」に登載してもらうことが必要です。

<司法現場の通訳者（人）の立場と仕事> (刑事事件の場合)

逮捕	通訳者の立場	通訳者の仕事	採用方法
警察 取り調べ	●通訳官（公務員） ●国際捜査官（公務員） ●フリーランス通訳者	事件発生時に警察官に伴って、通訳を務める。	各都道府県の警察ごとに登録。ホームページや広報誌などで通訳人を募集。また、一部の都道府県では通訳職の職員（公務員）としての採用も。
検察庁 取り調べ	●フリーランス通訳者	検察官の取り調べの通訳。拘留期間が限られ、長期にわたることはない。	各都道府県の地方検察庁で通訳人の登録を受け付けている場合も。ホームページで告知している地検もある。
裁判	●法廷通訳人 （フリーランス通訳者）	弁護士の接見、公判、結審まで、裁判での被告人や証人、弁護人、裁判官らの発言を通訳する。	各裁判所の通訳人は各地方裁判所で募集している。適性があれば面接を経て、裁判手続きなど最低限の説明を受け、法廷通訳人として名簿に登載される。
刑務所	●国際専門官（公務員） ●ボランティアの通訳	刑務所における外国人のコミュニケーションをサポートする。	国際専門官は専門職として採用される。あるいはボランティアで通訳する人も。

▶ エンタテインメントの通訳

　スポーツ、映画、音楽、演劇などエンタメ業界でも通訳の仕事があります。人前に立つことも多い華やかな世界ですが、活躍する通訳者は限られる狭き門です。

どのような仕事？　メディアに出る機会も

　プロスポーツ選手や来日した俳優や映画監督、ミュージシャンに付いて通訳を行う仕事になります。テレビや雑誌に有名人の傍らに立つ通訳者が映ることもあるように、華やかな印象のある仕事です。

　スポーツ関連なら、選手の練習中や試合中に加え、インタビューやミーティング時の通訳を務めます。映画関連では、外国映画の日本公開に合わせて俳優や監督がプロモーション来日した際に、インタビューや記者会見、舞台挨拶、テレビ出演時の通訳などをします。音楽では、ミュージシャン来日時のインタビューや記者会見、ツアー公演に随行しての通訳などを行います。2020年のコロナ禍以降は、オンラインでのインタビューや取材時の通訳も増えています。

　フリーランスの通訳者に依頼されるものと、スポーツチームや劇団など、特定の団体に所属する通訳者が行うものがあります。例えば、プロ野球やJリーグのように外国人選手が所属している場合は、チーム側が通訳者を採用します。単発のスポーツイベントの場合には、フリーランスの通訳者が手配されることが多いです。

　また、芸能関連は、ミュージシャンの来日など単発の仕事ではフリーランスの通訳者が活躍しますが、外国人演出家やスタッフが出入りする劇団などは、専属通訳者がいる場合もあります。

　ミュージシャンに付く通訳は大まかに2種類。音楽フェスティバルやコンサートでの通訳と、来日プロモーションの際の通訳（主に取材通訳）です。前者はプロモーター、後者はレコード会社の担当者などがクライアントになります。テレビ番組の通訳では、ミュージシャンの誘導など、現場

慣れしている通訳者に依頼する傾向があり、対応可能な人は限られてきます。音楽業界に在籍していた人が通訳者になるケースもあるようです。

求められるスキル　業界知識や気配りが必須

　有名人の発言をメディアやファンに向けて訳す際、逐次通訳で行うことが多いです。来日時のアテンドなどの比較的やさしい仕事から、舞台挨拶や記者会見といった失敗の許されない表舞台での逐次通訳、長期滞在する選手や監督の生活面のサポートも任される通訳など、仕事の内容や難易度はさまざまです。

　さらに、その分野（音楽、映画、野球、サッカーなど）について、深く知ることも必要です。業界知識がないと的確な通訳はできず、ミュージシャンや俳優や選手とのコミュニケーションも取れません。

　また、相手が有名人であれば、本人のイメージを損なわないようにすることや、スターのスケジュールに合わせるなど、細かな気配りも必要です。

仕事をするには？　コネクションが威力を

　映画や音楽の芸能関連とスポーツ関連の通訳は、紹介で仕事が依頼されることが非常に多いのが特徴です。特に芸能関連はその傾向にあります。来日した俳優やミュージシャンに付く芸能関連の通訳は、映画会社やテレビ局とのパイプがある通訳エージェントや知り合いに依頼され、募集が公になることはありません。ですから、興味のある分野に近い仕事をして人脈を開拓し、チャンスを待つのも一つの方法。狭き門ですが、機会に恵まれてその結果が好評であれば、リピートで仕事が来る可能性が高い分野です。

　一方、プロスポーツのチームに付く通訳は、公募もまれにあります。特にシーズンオフには、「通訳者募集」などの告知がありますので、ホームページなどをチェックするとよいでしょう。

■ コミュニティ通訳

これまで紹介してきた会議通訳やビジネス通訳、放送通訳などは、単独で生計を立てるに十分な報酬を得ることができることから、一つの職業として成立しています。一方で、職業として同じレベルで認知されてはいないものの、非常に重要な通訳があります。

どのような仕事？　日本に暮らす外国人の生活を支える

日本に暮らす外国人は増え続けています。その多くは日本語でのコミュニケーションが十分にできず、不慣れな土地で不自由な言語での生活を強いられます。そうした在日の外国人の地域の暮らしを、行政・教育・福祉の面でサポートする通訳は「コミュニティ通訳」と呼ばれています。

日本で暮らす外国人が通訳を必要とする場面はさまざまです。例えば、病気になって医療機関にかかるとき、市役所など行政のサービスを受けるとき、教育を受けるとき、また日常生活とは少し離れますが、何らかの事件や事故の被害者や加害者になって裁判になったときなど、あらゆるシチュエーションが考えられます。

日本ではコミュニティ通訳者の資格や認定制度はないので、病院、裁判所、学校など通訳者を必要とするそれぞれの機関が通訳者を独自に確保しているのが現状です。

また「コミュニティ通訳」という言葉は、一般通訳・会議通訳と差別化を図る意味でも使用されています。

医療通訳とは

コミュニティ通訳の中でも、最近特に注目され、人材育成が急務となっているのが、医療分野の通訳です。ここでいう医療通訳とは、診察、検査、調剤薬局などの医療現場で外国人患者と医療従事者とのコミュニケーションを成立させる通訳です。言葉が満足にできないと、自分の症状を伝える

ことも、医師の説明を正確に把握することもできません。医療通訳者は、外国人患者の言葉の違いによる不安を取り除き、患者が適切な医療サービスを受けられるようにする手助けをします。

　医療通訳者は医療チームを構成する重要な役割を担う存在であり、患者の生命と健康に関わるため、医療に関する専門知識と確固たる通訳スキルが必要とされます。診察や検査では、患者の言葉、医師の説明を一人称で逐次通訳します。また問診票など、文字を見てすぐに訳すサイトトランスレーションのスキルも必要です。

　コミュニティ通訳の中でも、医療通訳は生命にかかわるので必要性が高いです。しかし、医療通訳者が常駐する病院はまだまれであり、各地域の国際交流協会やNPO団体などが独自に組織して、病院に医療通訳者を派遣しています。また、専門性が求められるにもかかわらず資格などはなく、いまだにボランティアとして認識されているケースも多いのです。そのため報酬があっても1回3000円程度というケースが多く、プロフェッショナルとしてしかるべき通訳スキルを持った人材は集まりにくくなっているのです。

　スキルを持った人の参入を増やすには、職業として認知してもらうことが大きな課題となっています。また、外国人が健康診断や治療を受けることを目的に訪日し、観光も一緒に楽しむという「医療観光」の需要もあるので、医療通訳の職業的な認知、有料で提供できるサービスシステムの確立が急務となっています。

行政の通訳や学校の通訳とは

　外国人が地域生活を営む際、市役所・区役所など行政の窓口でのコミュニケーションをサポートする通訳、また住民が目にするパンフレット、各種手続きに必要な用紙などの翻訳が必要になります。外国人住民に特に関わりが深いのは、「外国人登録」や「国民健康保険」「介護保険」などの窓口業務です。ただし、どの窓口でも外国語への対応は十分ではなく、あらかじめ外部から通訳者を呼ぶケースもまれで、「行政通訳」という業務自体が意識されているとはいえません。重要な相談、手続きなどを要する場合

にのみ、国際交流協会などからボランティアとして通訳者が派遣されることが多くなっています。

　地域に密着した行政に絡む通訳をする場合、特に「多文化共生」という発想のもとに、外国人の置かれている状況を理解していないと務まらないといわれています。また、通訳をする内容によっては、行政の仕組み、制度、法律などを深く理解しておく必要性もあります。

求められるスキル　人権を尊重する考え方なども必要に

　一般通訳でニーズが高いのは英語ですが、コミュニティ通訳では、どの分野でも中国語、韓国・朝鮮語、ベトナム語、タイ語、タガログ語、ペルシャ語、スペイン語、ポルトガル語などのニーズが高くなっています。

　コミュニティ通訳は基本的に逐次通訳で行われるので、会議通訳のような高度な同時通訳スキルは求められません。しかし、単に語学が得意というだけでは決して務まりません。

　通訳する文章の構造はさほど難しくないことが多いのですが、それを的確に逐次で通訳できるだけのスキル、また訳す分野の専門知識は必須です。その一方で、人の人生にかかわる通訳にもなるので、「倫理原則」を守れることも大切です。コミュニティ通訳者に必要な倫理とは、守秘義務を守ること、正確であること、常に公平・中立な立場であることです。コミュニティ通訳として活動する際には、こうした倫理原則をきちんと学ぶ必要があります。

英語以外の言語の通訳

　通訳の仕事（コミュニティ通訳は除く）では、基本的に英語の需要がいちばん高くなりますが、もちろん英語以外の言語でも通訳ニーズはあります。

通訳ニーズが増えているのは中国語

　通訳エージェント（通訳会社）では、英語に限らず複数の言語に対応する会社が多くあります。ただし、英語以外の言語が売上に占める割合は、実はあまり多くはありません。やはり英語の案件がほとんどで、「英語以外の言語の売上は全体の1〜2割」という会社が目立ちます。

　それでも昔から通訳のニーズが高かった非英語言語は、フランス語、ドイツ語、ロシア語、中国語などです。しかし、最近はその傾向も変わりつつあり、通訳エージェントに実施したアンケート（2020年）で、需要の高い非英語言語を複数挙げてもらったところ、1位は中国語、次いで韓国語やフランス語、タイ語、ベトナム語、アラビア語でした。さらに「通訳者が不足している言語」も、1位は中国語、以下韓国語、タイ語、ベトナム語となっています。

　以前は、通訳といえば英語かヨーロッパ言語が主流でしたが、最近は中国語、韓国語に加え、東南アジア言語の通訳が増えているのです。

英語以外の通訳者は翻訳やガイドもする?!

　英語通訳者は実力さえあれば“通訳専業”として活動する人が主流ですが、英語以外の言語になると、仕事の絶対量が少ないので、通訳以外の仕事もするケースが多くなります。ただし、中国語や韓国語は英語ほどでは

ないものの、比較的仕事量が多いので、通訳専業の人もいるようです。

通訳と並行して、語学スクールや大学の講師、また翻訳業や通訳ガイドなど、語学周りの仕事を幅広く手がけている人が多いです。「通訳をメインにしているが、それ以外の仕事もあれば何でもする」というスタイルが目立ちます。

また、英語以外の言語の通訳者は、自分の専門とする言語のみならず、英語力も高い人が多いです。というのも、通訳の現場では、「発表は多言語でも会議資料はすべて英語」というケースがあるため、英語以外の言語の通訳者でも、英語力は高いほうが仕事はしやすくなります。

英語以外の言語の通訳スキルはどう学ぶ？

英語の場合、プロの通訳者への道は、①高度な英語力をつける、②通訳者養成スクールに通ってトレーニングを積む、③通訳エージェントに登録して仕事をする、というのが一般的な流れになります。しかし英語以外の言語の通訳スクールはとても少ないのが現状です。中国語、韓国語、フランス語などでは、一部、通訳コースを設置するスクールもありますが、その他の言語ではほとんどありません。

そのため、通訳の専門的なトレーニングは受けず、海外留学や大学の専攻などで培った語学力を生かして、いきなり通訳や翻訳の仕事をスタートさせる人も多いです。つまり、通訳スキルは独学か、また仕事をしながらOJT（On the Job Training）で身につけていくことになります。

担い手が少ない稀少言語になればなるほど、経験の少ない人であっても、比較的簡単なアテンドから会議の逐次通訳まで、いろいろなレベルの依頼が回ってきます。また、一般通訳とは違いますが、司法通訳や病院などで必要になる医療通訳などの「コミュニティ通訳」では、英語以外のニーズが高いので、言語によっては人が足りず、駆け出しの人にも声がかかることもあります。

最初は、不安なこと、わからないことが多いかもしれませんが、その時のベストを尽くして仕事に取り組み、少しずつ経験を積んでいくことになります。

通訳エージェント経由ではない仕事も多い

　フリーランスの通訳者が仕事を得る基本は、通訳エージェント経由ですが、それは多言語、稀少言語であっても同じです。ただし英語以外の言語の場合には発生する通訳案件自体が多くはないので、複数の通訳エージェントに登録するほうがいいでしょう。また、中国語専門、フランス語専門、アラビア語専門など、特定言語に特化した会社もあります。自分の扱う言語専門の通訳エージェントがあれば、ぜひ登録をしておきましょう。

　また、稀少言語になればなるほど、民間ではなく官公庁や大使館や関連団体からの仕事の割合が高くなります。そうした仕事は通訳会社経由ではなく、該当言語の仲間の紹介などで仕事が引き継がれることが多くなります。同じ言語のプロフェッショナル同士のコミュニティも大切です。

国際会議の共通言語は？

　英語が"世界の公用語"として扱われる場面はますます増えています。国際会議の場合、ヨーロッパ各国から人が参加しても、会議の共通言語を英語にして、英語だけで進行するケースも目立ってきました。つまり、多国籍の人が参加する会議が日本で行われたとしても、その会議の主催者が「会議は英語で行う」と決めたら、通訳者は英語⇔日本語の対応しか必要ない、もしくは日本語への通訳すら行わず、通訳者が一切手配されない会議もあります。

　ただし、逆に日本ではアジア各国が参加する会議が増えており、そうなるとタイ語やベトナム語を扱える日本人通訳者がいなかったり、中国語や韓国語の通訳者の手が足りないために、英語を介した「リレー通訳」を行うこともあります。英語以外の言語を扱う人は、今後一層、通訳だけではなく、翻訳や通訳ガイドにも対応できるようにしておく必要があるかもしれません。

通訳エージェントのタイプ

　フリーランス通訳者のクライアントとなる通訳エージェント（通訳会社）には、その業務内容によって①通訳者の手配のみを請け負う会社、②国際会議（コンベンション）やイベントの企画・運営を行う会社（PCO＝Professional Congress Organaizerとも呼ばれる）、③人材派遣会社、などに分類されます。

①のタイプの会社は通訳案件が発生する企業（ソースクライアント）からの依頼を受けて、案件にあった最適な通訳者をアサインするのが主な業務です。②のタイプの会社は会議運営を担いますので、通訳者とのやり取りに限らず、さまざまな業務が発生します。

＊会議運営の業務アレコレ

- ・会場確保　　　・会場レイアウト　　　・使用機材手配、点検
- ・パンフレットやプログラムの制作　　　・参加者の登録や管理
- ・海外からの来場者や講演者の宿や航空券の手配（外注が多い）
- ・通訳、受付、アテンドなど当日スタッフの確保・手配　…など

　一般的な通訳エージェントでもコンベンション事業を行う通訳エージェントでも、登録する通訳者とやり取りする担当者として通訳コーディネーターと呼ばれる人たちがいます。

　通訳コーディネーターは通訳者を手配するだけではなく、国際会議などの通訳現場にも出向きます。例えば、スピーカーと通訳者を引き合わせて打ち合わせの場を作ったり、当日配付予定の資料を揃えて通訳者に渡すなど、通訳者が通訳業務に専念できるような環境づくりに努めています。

Part

02

入門編

通訳スキルの
身につけ方

通訳者に必要な能力とは

　通訳者に求められる能力とは何でしょうか。通訳教授経験もある会議通訳者に、「通訳者に必要な能力」「逐次通訳」「同時通訳」の3点についてわかりやすく解説していただきます。

＊42～63ページ　執筆協力／会議通訳者 グリーン裕美さん、会議通訳者 森田系太郎さん（プロフィールは188ページ）

通訳者に必要な10の力

　まず「通訳者に必要な能力」ですが、その能力を10の「力」に分解してみました。以下、一つひとつ見ていきましょう。

①通訳基礎力

　通訳をするにあたっては、いうまでもなく、まずは通訳の基礎的なスキルが必要とされます。通訳には大別すると2種類あり、話者が一定程度話し終わった後で通訳者が続けて通訳をする**「逐次通訳」**と、話者とほぼ同時に別言語に通訳をしていく**「同時通訳」**があります（「逐次通訳」と「同時通訳」の基礎力の身につけ方については46ページから解説）。

②言語力

　通訳は、一つの言語で語られた内容を別の言語で表現する行為ですから、当然その二つの言語の使い手でなければなりません。例えば「米中貿易問題」の内容を日本語と英語の両方で適切に表現できるでしょうか？ 適切に表現できればすでに両言語の使い手ですし、どちらかが劣っているのであれば、そちらの言語の能力を高める必要があります。

　また母語についても過信はできません。母語であっても知らない単語は無数にあります。通訳者は新聞に目を通したり、質の高い小説を読むなど、

日頃から母語を洗練させる努力も怠ることはできないのです。

③理解力

　話者の話を理解するにはまず、両言語を音声的に聞き取るリスニング力が欠かせません。また、ただ漫然と聞くのではなく、「傾聴力」が必要です。話者が何を言いたいのか、その情報を理解し処理しようとする姿勢とスキルが求められます。ベテラン通訳者である鶴田知佳子先生の言葉を借りれば、通訳はまさに「高度知識集約型情報処理サービス業」なのです。

　発言を理解するためには知識力も欠かせません。また「ピンと来る力」、つまり一を聞いて十を知るような洞察力や、話の論理展開を読み解きつつ次に来る単語や内容を想像する予測力も必要とされます。

④知識力

　③の「理解力」と関連しますが、話者の話の内容を理解したり想像したりする際には知識力が欠かせません。通訳するトピックの背景知識が通訳の質を左右します。このため、特定のトピックに関して専門性を持っていると、通訳の仕事を受ける上で有利になるでしょう。

　また専門性の深さのみならず、広く浅く物事を知っているという幅の広さもプラスの要素です。専門家による会合の冒頭で、アイスブレーカー（本題前の雑談・アクティビティ）で時事が話題になることも多いので、日頃から新聞やニュースをチェックしておくことが肝要です。通訳に無駄な情報は一切ありません。

⑤スピーチ力

　特に逐次通訳では人前で話す場面も多いため、しっかりとしたスピーチ力が必要とされます。適切な訳語の選択のみならず、聞き手の頭にすっと入るような構文を聞きやすい声とスピードで聴衆に届ける必要があります。通訳者の中には「話し方講座」や「アナウンサー養成講座」を受講する人もいます。また本番直前には発声練習をしたり、滑舌がよくなるように音読をしたりする通訳者もいます。あわせて、喉のケアも欠かせません。

⑥準備力

　通訳者の仕事は実は「事前準備」の段階から始まっています。会議の直前に通訳の依頼が入る可能性もありますが、いかに効率的に準備をするかが鍵となります。そのために当日または前日までにクライアントに事前打ち合わせをお願いして会議の要点を確認し、資料を読み込みます。事前資料が大量だったり、当日会場で原稿が差し替えになる場面もあるので、速読力があると役に立ちます。実際に速読講座に通う通訳者もいます。

　加えて、ネット上の大量の情報から必要な情報を探し出す検索力も準備力の一部です。通訳するトピックに詳しい友人がいれば直接尋ねることもできるため、日頃から人的ネットワークを構築しておくとよいでしょう。

⑦異文化理解力

　通訳は一つの言語をもう一つの言語に裏返せばよい、ということではなく、"両文化を理解しながら"通訳をする必要があります。例えば、日本語で「ご提案については前向きに検討します」という発言を通訳者が文字通りに英語にしてしまうと、通訳を聞いた側に高い期待を抱かせてしまう可能性があります。日本文化を熟知していれば、「前向きに検討します」は文脈によっては「お断りします」のニュアンスを含むことがわかります。この例だとWe'll give positive consideration to your proposal.のような直訳より、Let us take a good look at your proposal.（ご提案については十分に拝読・検討させていただきます）のような表現が適切でしょう。

　異文化理解力は言語面での理解力にとどまりません。特に対面の会議で通訳をする場合、参加者の表情やジェスチャー（例：両手を左右に広げる＝理解できない、人差し指と中指をクロスさせる＝幸運を祈る）を読み解くことも重要です。このような言語の周辺に存在するパラ言語情報、非言語情報も文化によって解釈が異なるので、そうした情報を読み解く解釈能力も求められます。

⑧コミュニケーション力

ある文化と別の文化をつなげる"異文化コミュニケーター"の役割を果たす通訳者には、当然のことながら異文化コミュニケーション力（自分と人とを、そして人と人とをつなぐ能力）が備わっていなければなりません。優れた人間力・人格、感情コントロール、寛容性が問われる職業でもあります。機密性の高い内容を通訳することもあり、会議で知り得た内容を他言しないという非コミュニケーション力、倫理性も問われます。

同時通訳ではペアを組むことが多く、パートナー通訳者とのコミュニケーションも大切です。通訳中に数字や固有名詞のメモを出し合ったりしますが、メモをもらいたい頻度や内容は個々人で異なります。このような点でも"空気を読む力"やコミュニケーション能力が欠かせません。

また、通訳現場では何が起こるかわかりません。機械の故障や、話者が早口の場合もあります。常に慌てずに冷静さを保ちつつ、対応・改善を依頼すべき場面では主張をするようなコミュニケーション力も必要です。

⑨体力・精神力

通訳案件によっては終日の会議が1週間以上続くこともあります。またプレッシャーのかかる場面に遭遇することもあるため、心身の健康に気を使っている通訳者が多くいます。ジョギングをしたり、ジムに通ったり、ヨガをする方もいます。また、食事や睡眠にも気をつけ、時にはサプリメントやマッサージで体調を整え、仕事に穴を開けずに常に100％の力が発揮できるよう、日々体調管理をしています。

⑩テクノロジー力

最後の「力」はテクノロジー力です。新型コロナウイルスの感染拡大で遠隔通訳の案件が増えましたが、その際に顕著に問われる能力です。今やZoomの同時通訳機能や遠隔同時通訳(Remote Simultaneous Interpretation：RSI) プラットフォームを使いこなすテクノロジー力は欠かせなくなりました。また、会議をする主回線に加えて通訳用の別回線を用意して、主回線で逐次通訳を、副回線で同時通訳をする場合には、テクノロジー力に加えてマルチタスク力も問われます。

逐次通訳を
やってみよう

　逐次通訳は同時通訳のような派手さはないかもしれませんが、ある言語で話された内容を聞いて理解し、記憶を保持しつつ、話者の発言が終わったら、それを別言語のきれいな構文で一字一句正確に訳出することが求められます。通訳は「逐次に始まり、逐次に終わる」——つまり、逐次通訳は実は非常に高度なスキルが求められる——といわれるゆえんです。

　逐次通訳は話者の発言が終わるまで内容を記憶しておかなければならないため、数単語の文章でない限り、短期記憶のためのメモを取り、それを見ながら通訳するのが通常です。ここではまず、メモを使わずに短期記憶力のトレーニングを行い、その後にメモ取りの練習をしてみましょう。

Consecutive interpretation without notes
（メモなしでの逐次通訳）

　逐次通訳がうまくできないと「ノートテーキングが下手だからだろう」と考えがちですが、実は「聞いて理解する」という出発点がおろそかになっている場合がよくあります。そのための練習として、比較的わかりやすいスピーチをメモを取らずに聞き、聞き終わったら他言語に訳出＝逐次通訳してみましょう。メモを取らずに、記憶のみで通訳する場合のコツは以下の通りです。

＊コツ①自分の記憶力を信じる。最初から「私は記憶力が悪い」とあきらめてはいけません。まずは自分を信じるところから始まります。
＊コツ②よく聞いて、内容を理解する。言葉ではなく話者の意図を理解し、話の展開を論理的に分析すると、全体を記憶しやすくなります。
＊コツ③イメージ化する。聞いた内容を視覚的に思い浮かべると覚えやす

くなります。

＊**コツ④**身近なものと紐づける。よく使われるものに「指メモ」があります。これは話の中で出てきた最初のトピックを親指に、2番目のトピックを人差し指に……と紐づけて記憶する方法です。指ではなく顔のパーツにトピックを紐づける「顔メモ」もありますが、いずれにしても聞いて理解した内容を順番に身近なものに結びつけて記憶に残しやすくします。

> **演習** 次のオンライン会議でのスピーチを**メモなし**で逐次通訳してみましょう。

例題

みなさま、本日は日本通訳翻訳フォーラムにお招きくださいまして誠にありがとうございます。私はイギリス在住で、ABC大学にて会議通訳修士課程の非常勤講師をしております山田はな子と申します。今年はオンラインでの開催ということで海外からも参加できてうれしく思います。本日は1時間ほどお時間をいただき、まずは同時通訳のトレーニング方法についてお話しさせていただきたく存じ

「逐次通訳をやってみよう―オンライン会議でのスピーチ」
https://youtu.be/
UxAe5ecgW0w
（左の文章の音声）

ます。またこの度、イカロス出版から発売されました『通訳・翻訳ジャーナル』のご紹介もさせていただければ幸いです。大体このような内容で45分ほどお話しさせていただいた後、最後の15分は質疑応答の時間としますので、ご質問のある方はチャット機能もお使いになってどうぞご質問をお寄せください。

　以上、約1分間の発言ですが、聞こえてきた言葉を文字通りに暗記しようとすると、かなり難しく感じるでしょう。しかし、内容を次ページの図のように分析しながらキー・メッセージを身近なものに紐づけると、記憶しやすくなります。ここでは「指メモ」を使って説明します。

紐づけ先	スピーチ分析	キー・メッセージ
親指	会議名＋感謝	日本通訳翻訳フォーラム　招待に感謝
人差し指	自己紹介	イギリス在住、ABC大学・会議通訳、講師、山田はな子、海外から参加
中指	トピック1	同通の訓練法
薬指	トピック2	イカロス出版、『通訳・翻訳ジャーナル』の紹介
小指	時間配分の説明	トピック1と2に45分、残り15分はQ&A、チャットOK、質問歓迎

このように分析をしながら発言を聞く習慣ができると、逐次通訳のメモを取る場合も体系的なノートテーキングが可能となり、記憶しやすくなります。ぜひ練習してみてください。

Note-taking（ノートテーキング）

　次にノートの取り方の練習をしましょう。ノートテーキングのコツは、単純化すれば以下の4点にまとめることができます。

＊コツ①一字一句取るのではなく、発言内容と流れを図解するような気持ちで、時系列に縦に取る。
＊コツ②よく使われる用語はシンボルにしておく。
＊コツ③意味の区切りで横線を引く。
＊コツ④どちらの言語でメモを取ってもよい。

すらすらとノートテーキングができるようになるまでには、かなりの練習と慣れが必要です。慣れないうちは、いきなり通訳者のように音源を聞きながらノートを取るのではなく、まずは手元に新聞記事などの文章を用意し、書き言葉を見ながらノートを取るという練習から始めるとよいでしょう。

　では実際にノートテーキングに挑戦してみましょう。次の「がん治療薬を開発する臨床試験」の文章を、どのようにノート化したらよいでしょうか。

演習 下記の文章を**ノートテーキング**してみましょう。

例題

Over the years, clinical trials have done wonders in advancing cancer treatments.

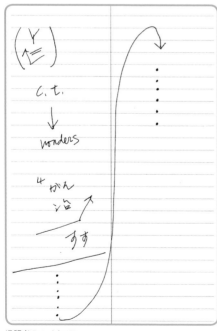

通訳者のノートとメモ。

　ノートの取り方は通訳者によって異なりますが、ここでは一例をご紹介します。

　写真で使われているノートは通訳者がよく使う「ステノ・ノート」「ステノ・パッド」「ステノ・ブック」などと呼ばれる速記（stenography）用のもので、中央に線が引かれています。まずは左半分のスペースに左上から下に向かって縦にノートを取り、下まで行ったら右上に行き、今度は右半分のスペースで上から下にノートを取る、という流れです（**コツ①**）。

　メモの左上の "Y" は year を

意味するシンボルで（**コツ②**）、その下に複数を意味する二重線のシンボル（**コツ②**）を付けていますので、2つを合わせて years を意味します。矢印が過去に向かっているので、すべてをまとめると Over the years（過去、何年にもわたって）となります。

　その下に書いてある "c.t." は clinical trials を意味するシンボルで（**コツ②**）、"wonders" に向かって「もたらす」を意味する矢印（**コツ②**）を付けることで、全体として clinical trials have done wonders（臨床試験は驚くべき結果をもたらしてきました）を表しています。

　その下の "4" は for を意味するシンボルで（**コツ②**ここでは in を for の意味に近いとして読み替えています）、"治" は「治療」、"すす" は「進める」を意味し（**コツ④**）、前に進む矢印（**コツ②**）が付いているので、全体として in advancing cancer treatments（がんの治療を進歩させてきたのです）を意味します。また、ここで意味がいったん区切れるので、横線を引いています（**コツ③**）。

　なお、以下はよく使うシンボルの一覧です。

単　語	シンボル例
ありがとう（thank you）	あ
その理由は…（because）	∵
まとめると…（in summary）	Σ
週（week）	W
日（day）	D
フォローアップ（follow-up）	FU
理解する（understand）	了
プロセス（process）	Pss
計算、算出（calculation）	123
可能（can, possible）	可

　ノートテーキングを練習しながら、自分のシンボル・リストを作っていきます。どの会議でも頻出するような単語を中心にシンボルを作るとよいでしょう。ちょっとしたコツをつかめば、短期間で多くのシンボルを身につけることも可能です。

同時通訳を
やってみよう

　神業ともいわれる同時通訳ですが、どのようにすればできるようになるのでしょうか？

　まずは同時通訳者の頭の中の動きから見ていきましょう。同時通訳をしているときに脳は、**「聴解」（音声情報の聞き取り）⇒「分析」（聞き取った情報を分析）⇒「記憶」（聴解から訳出に至るまでの短期記憶）＋「訳出」（分析・理解した内容を訳出）**といった複数の作業を同時に並行して行っています。最近ではこれらに Human Machine Interaction（さまざまな機械・デバイスの操作：HMI）が加わり、特にRSI（遠隔同時通訳）ではHMIの負荷が高くなっています。同時通訳の練習をする際には、このような脳の働きを意識しながら訓練を重ねることで、効率的に通訳スキルを身につけることができます。

　では、練習方法をいくつか紹介します。

STEP1　Sight translation（読みながら声に出して訳す）

　通称「サイトラ」といわれるこの練習方法は、**sight translation** という英語から想像できるように、文章を目で追いながら翻訳（通訳）をしていく行為を指します。語順を自由に変えることができる逐次通訳と異なり、同時通訳は基本的に音声が聞こえてきた順番に訳出を行っていきます。サイトトランスレーションは、書き言葉という視覚情報を音声情報に換えていく過程で、前から順に、しかも自然な文に訳出していくことで、同時通訳を練習することができます。上記のプロセスでいうと、「聴解⇒分析」が「読解⇒分析」（目から入る視覚情報を分析）に置き換わっているイメージです。

　サイトラは、慣れないうちは意味の単位ごとに文にスラッシュを入れ、

文章中のわからない単語を調べてから練習するとやりやすいでしょう。慣れてきたらスラッシュ入れと単語調べの時間を決めて練習したり、事前準備なしに初見で練習することもできます。

　ここでは逐次通訳のノートテーキングのセクションで使用した英文とその続きの文章を使って、サイトラのやり方を確認しましょう。

 演習　以下の英文に意味の単位ごとに**スラッシュ**を入れてみましょう。

例題

Over the years, clinical trials have done wonders in advancing cancer treatments. But despite widespread public awareness campaigns on behalf of the American Association for Cancer Research (AACR), it seems the majority of patients are unaware of the latest cancer clinical trials available to them.

＜スラッシュ入れの一例＞

Over the years, / clinical trials have done wonders / in advancing cancer treatments. / But　/ despite widespread public awareness campaigns / on behalf of the American Association for Cancer Research (AACR), / it seems / the majority of patients are unaware / of the latest cancer clinical trials / available to them.

演習 スラッシュを入れた文章を使って、実際に前から順に後戻りせずに訳出し、**サイトラ**をしてみましょう。

＜サイトラの一例＞

Over the years, （過去、何年にもわたって）/ clinical trials have done wonders （臨床試験は驚くべき結果をもたらしてきました）/ in advancing cancer treatments. （がんの治療を進歩させてきたのです）/ But （しかし） / despite widespread public awareness campaigns（社会で広く認知度を高めるキャンペーンが行われてきたにもかかわらず）/ on behalf of the American Association for Cancer Research (AACR), （そしてそれはAACR、米国がん研究協会のために行われたものですが）/ it seems （どうやら）/ the majority of patients are unaware （多くの患者が気づいていないのは）/ of the latest cancer clinical trials （最新のがんの臨床試験に）/ available to them. （実は参加できる可能性があるということなのです）

英文の後ろから前に戻って訳せる逐次通訳や翻訳と異なり、多少のぎこちなさは残るかもしれませんが、in advancing cancer treatments の部分を「がんの治療を進歩させてきたのです」と完結した一文のように訳したり、on behalf of the American Association for Cancer Research (AACR) については冒頭に「そしてそれは」というつなぎの文言を入れたりすることで、文を後戻りしないように工夫しています。また、it seems を「どうやら」と副詞として訳したり、the majority of patients are unaware を「多くの患者が気づいていないのは」と名詞化して主語として訳出したりすることで、前から順に訳せるようにしています。

手元にある文章を使って、早速サイトラを練習してみてください。その際は実際に同時通訳をしている場面を思い浮かべつつ、聴衆が聞きやすいように一定のテンポでよどみない訳をめざしましょう。

STEP2 Split attention（注意配分を鍛える）

　同時通訳ではマルチタスクを必要とするため、脳の注意（**attention**）を配分する能力（＝脳のどのくらいの割合を「聴解」「分析」「記憶」「訳出」に使うのかという配分の仕方）が求められます。ここではその能力を鍛える2つの演習をやってみましょう。

●演習①　シャドーイング
　同時通訳の特徴である「聞きながら話す」ための基礎練習です。まずは母語で話しているスピーチ音源を探し、それを聞きながら1〜2語遅れで聞こえた通りにリピートしてみましょう。「耳でしっかり音声を聞きながら、口も動かして声を出す」作業に最初は戸惑うかもしれませんが、自分のアウトプットを意識しつつしっかり聞くことで、脳の注意配分を鍛えることができます。またシャドーイングはリスニング力の強化にも一定の効果があるといわれます。慣れたら母語ではないスピーチ音源でも練習してみましょう。

●演習②　リスニング＋数字を使ったエクササイズ
　同時に複数のタスクをこなせるように脳を鍛える演習です。

＊**方法1**　母語で話しているスピーチ音源を探し、それを聞いて内容を理解しつつ、一方で数字を声に出して数える演習です。1、2、3、4 …とカウントアップするよりも4、3、2、1 …とカウントダウンするほうが脳に負荷がかかります。また100、99、98 …のように切りのいい数字から始めるよりも258、257、256 …のように半端な数字から始めると、負荷がより高くなります。
＊**方法2**　音源を聞いてそれを**演習①**のようにシャドーイングしながら、2×2＝4、2×3＝6、2×4＝8 …のように九九を順番に紙に書き出してみましょう。

教材は難易度が低いものから始め、徐々にレベルを上げます。また母語でできるようになったら、第二言語のほうでも練習してみます。YouTube動画であれば必要に応じて再生速度を落として調整し、少し背伸びすればできるくらいの範囲で練習することが大切です。

STEP3　Time lag（一時的な記憶量を増やす）

　同時通訳とは「聞きながら通訳をする行為」ですが、意味のまとまりごとに理解した後に内容を訳出していくので、どうしても少し遅れがでます。その遅れのことを time lag（タイムラグ）、EVS（ear-voice span）、decalage（デカラージュ）などといいます。このタイムラグを長くできれば、しっかりと理解した後に（次の発言を聞きつつ）訳出できますから、より自然な表現ができ、わかりやすい通訳になる可能性が高くなります。逆に、聞こえたことを短いタイムラグですぐに訳出していくと単語の羅列になり、文法的に意味をなさずにわかりにくい通訳になってしまうことがあります。そのため、一時的に記憶できる量を増やすことも同時通訳のトレーニングでは欠かせません。"記憶"にもいくつか種類がありますが、ここでは言い終わったらすぐに忘れてしまうような短期記憶のことを指しています。

　以下では2つの演習に取り組んでみましょう。

●演習①　数字のタイムラグ

　聞こえた数字をしばらく頭の中で保持（リテンション）してから口に出して言う練習です。まずは、以下のようなランダムな1桁の数字を日本語で録音します（1秒に数字1つくらいのペース）。

3	4	1	7	9	4	1	6	8

*方法1　録音した数字を再生しながら、別途、自分の声を録音する確認用の録音を開始

*方法2　聞こえた数字を1つずらしで日本語でリピート（上記の例では

"4"［2つ目の数字］が聞こえてから"3"［1つ目の数字］と言う）

＊**方法3** 数字の再生を停止

＊**方法4** 確認用の録音を再生し、正しくリピートできたか答え合わせ

　慣れてきたら2つずらし（"1"が聞こえてから"3"と言う）、3つずらし（"7"が聞こえてから"3"と言う）と負荷を増やしていきましょう。桁数を増やすとさらに負荷が高くなります。

　また同じ言語でのリピートではなく、言語の変換（例："3"をリピートする際に「さん」ではなく three と言う）を織り交ぜると、さらに負荷が高くなります。また数字の代わりに単語を使うと、タイムラグのみならず単語の記憶の練習にもつながり一石二鳥です。

●演習②　文章のタイムラグ

　54ページのシャドーイング練習の上級編です。母語で話されているスピーチ音源を探し、今回は1〜2語の遅れではなく、意味の切れ目ごとにリピート。可能であれば1センテンスを丸々記憶に保持します。

　単にオウム返しをするのではなく、意味を理解して、意味のまとまり（チャンク）ごとにずらしていくことがポイントです。耳では次のチャンクを聞きながら、口では1つ前のチャンクを繰り返す練習です（次項目も参照）。音源は、自分の興味のあるもので、少しやさしいと感じるものを選ぶとよいでしょう。慣れてきたら第二言語の音源でも練習してみましょう。

STEP4　Chunking／Salami／KISS（短くシンプルに訳す）

　原発言がだらだらと長い文だったとしても、同時通訳の訳文までだらだらと長くする必要はありません。時間的制約のある同時通訳では、意味の切れ目ごとになるべくシンプルな短い文で意味を訳出していくのがコツです。長いものをどんどん切っていくイメージでチャンキング（chunking）やサラミ（salami）手法と呼ばれ、その訳出は短く簡素なものになることからKISS（Keep It Short and Simple）手法といわれます。

例題

新型コロナウイルス感染症によって経済が停滞していますが、そこからの回復を図るときには、コロナ前がどうだったのかを振り返り、過去の姿を取り戻そうとする「復興プラン」を考えるのではなくて、地球温暖化対策も含めて環境に配慮したサステナブルな社会づくりをめざす復興プランを促進しようという声が高まっており、それは「グリーン・リカバリー」ともいわれています。

（参照：https://www.wwf.or.jp/activities/basicinfo/4391.html）

訳例1

In order to recover from the economic stagnation caused by the COVID-19 pandemic, there is a growing call to promote a recovery plan sometimes called "Green Recovery" that aims to create an environmentally sustainable society, including measures to combat global warming, rather than a simple "recovery plan" that looks back at how things were before the pandemic and tries to get back to where we were.

　長い文を翻訳する場合、**訳例1**のように同じく長い1文として訳すことも珍しくありません。ですが、同時通訳では、前述のサイトラの手法も用いつつ、前から順になるべく短い文を作っていきます。

　試しに元の日本語の文章をチャンキングしてみましょう。

1. 新型コロナウイルス感染症によって経済が停滞している
2. そこからの回復を図る
3. そのためには、コロナ前がどうだったのかを振り返り、
4. 過去の姿を取り戻そうとする
5. （かもしれないが、そのような）「復興プラン」を考えるのではなくて、

6. 地球温暖化対策も考慮に入れる
7. 環境に配慮したサステナブルな社会づくりをめざす
8. このような復興プランを促進しようという声が高まっている
9. それは「グリーン・リカバリー」ともいわれている

　上記のチャンクした文をKISS手法で訳すと ▶訳例2◀ のようになります。

▶訳例2◀

1. The economy is stagnant due to the COVID-19 pandemic.
2. We try to recover from it.
3. Then, we might look back at how things were before the pandemic
4. and try to get back to where we were,
5. (which might be the case, but) instead of coming up with such a "recovery plan,"
6. we should include measures to combat global warming.
7. We should aim for a sustainable society that is environmentally-friendly.
8. There is a growing call to promote this kind of recovery plan,
9. which is also known as "Green Recovery."

　ポイントは ▶訳例1◀ の5で「(かもしれないが、そのような)」と補足している点です。前から訳出していく場合、原文とは多少異なる構文になっても、意図を捉えて同じ意味が伝わるように補足・修正するなどの工夫が大切です。英語では ▶訳例2◀ の5のように関係詞 (which) でつなげることで工夫しています。

STEP5 Reformulation (文を再構築する)

　原文の構造にこだわらず意味だけを重視して、品詞を含めて文の構成を すっかり変えてしまうことを指します。直訳調の訳から離れて自由に文を 作ります。文の構造は変わっても原発言の意図を正しく伝えられること、 そして同時通訳のためには原発言よりも短い文章にすることが大切です。

▶ 例題 1
本会議に出席でき、大変うれしく存じます。

▶ 英訳例 1

I am very pleased to be able to attend this meeting.

▶ 英訳例 2

It gives me pleasure to be here today.

　「大変うれしい」を直訳すると **very pleased** や **very happy** となりま す（ 英訳例 1 ）。しかし品詞にとらわれずに「喜び」を表す名詞表現 **pleasure** を使うと、 英訳例 2 のように簡潔に表現できます。また **pleasure** にアク セントを置き強調することで、「大変」というニュアンスを出すこともでき ます。

▶ 例題 2
The economy grew at its slowest pace since 2008.

▶ 和訳例 1
経済は2008年以降で最も遅いペースで成長しました。

▶ 和訳例 2
経済成長率は、2008年以来の低水準となりました。

ここでも文字通りに訳すと ▶和訳例1 のようになりますが、文全体の意味を把握して再構築してから訳すと ▶和訳例2 のようになります。同時通訳では「前から訳す」スキルも必要ですが、少し待って、意味を把握してから訳すと、聞き手にとってわかりやすい訳出ができる場合があります。つまり、**the economy** が聞こえた時点ですぐに「経済は」と訳し始めると ▶和訳例1 のような訳し方から抜け出すことができません。タイムラグを長めに取れるようになると、 ▶和訳例2 のように再構築しやすくなります。

　再構築ができると柔軟に文が作れるので同時通訳の訳出時に役に立ちます。そのためには同じトピックのニュースを日本語と英語の両方で読んだり聞いたりしながら、一つの話題が両言語でどのように表現されているかを確認するとよいでしょう。その際、新聞の社説の原文とその翻訳版を比較するのではなく、例えばNHKの日本語ニュースとBBCの英語ニュースといった母語で話されている媒体を使って比較するとよいでしょう。母語話者が使う自然な表現を身につけることができます。

STEP6　Anticipation（先を予測する）

　スピーカーの話の展開を耳にする前に予測するスキルを指します。予測ができるとインプットの処理（聴解・分析）が容易になり、アウトプット（訳出）に費やす時間的な余裕が生まれます。

　予測は、(1) 言語的予測と (2) 非言語的予測に分けることができます。

(1)言語的予測
文法、構文、語彙、音声などの言語的な要因による予測

　例えば英語では、**not only ...** と聞こえてきたら「次は **but also ...** が来るぞ！」と予測を立てることができます。日本語なら「決して…」と聞こえてきたら「次は否定文が来る」と予測したり、「手も足も…」と聞こえてきたら「出ない」と慣用表現の後半部分を予測することができます。

(2)非言語的予測
テーマに関する知識や話者の立場から判断する予測

　テーマに関する知識があれば、当然のことながら話を予測しやすくなります。

　また、「誰が」「どのような場面で」「誰を対象に」話すのかも予測のポイントとなります。例えば環境問題のエネルギー分野が話題の場合、原子力発電推進派と再生可能エネルギー推進派では意見が異なります。また政府代表者か民間セクター代表者かなど、どのような立場の人が話すのかによっても主張が異なることでしょう。そのような話し手の「立場」からも話の展開を予測することが可能です。

STEP7 Self-monitoring
（自分のアウトプットをチェック）

　同時通訳では、聴解・分析・記憶・訳出をほぼ同時に行いながら、さらには自分がどのようなアウトプット（訳出）をしているのかをモニタリングする必要もあります。原発言だけでなく、自分自身の声も聞きながら通訳をするのです。言い間違いに気がついて訂正することもあります。また、原発言をしっかり聞きたいがために同時通訳用のヘッドホンの音量を上げてしまうと、それにあわせて自分の声も大きくなってしまいがちです。大声での通訳は聞き手にとっても通訳者にとっても疲労につながります。大声を出さなくても自己モニタリングできる音量はどれくらいか、最適なバランスを練習の際につかんでおくとよいでしょう。

STEP8 Practice with your colleagues
（仲間を作って練習しよう）

　これまで説明した方法は主に1人で練習することを想定していますが、トレーニングを継続するには仲間作りが大切です。仲間ができれば次のような練習方法で通訳訓練ができます。ここではAさん、Bさんという日英通訳者2人のグループで、ZoomなどのWeb会議システムで画面と音声シェア

や録音機能を使いながらの練習を想定しています。

●練習の方法

1. 新聞や雑誌から興味のある記事を1つ選ぶ。
2. Aさん：その記事の内容を5〜10分程度のスピーチとして発表（英文記事なら日本語で発表、日本語記事なら英語で発表）
3. Bさん：Aさんのスピーチを聞きながら同時通訳練習（音声はミュート。別途、録音ソフトで通訳を録音）
4. スピーチの終了後、Bさんの通訳録音をWeb会議システムなどで音声共有しながら再生（＝Aさん、Bさんの2人でBさんの同時通訳を聞く）
5. よくできていた点、改善点について講評し合う。Bさんの通訳へのコメントだけでなく、Aさんのスピーチについてもわかりやすく発表できていたかなどをコメント。

●フィードバックのポイント

　仲間との勉強会では、自分のパフォーマンスも仲間のパフォーマンスも客観的に評価できることが大切です。訳の正確性にばかりこだわるのではなく、「原発言を理解できないお客様だったらどう評価するか？」という視点で評価できるといいでしょう。

　以下のようなチェック項目が考えられます。

(1) 話し方

　　a. 発声（声の大きさ、明瞭さ）
　　b. イントネーション、アクセント
　　c. 「あのー」「えーっと」などを含めた口ぐせはないか

(2) 訳出内容・表現

　　a. 発言者が伝えようとしているキー・メッセージが伝わっているか
　　b. 数字や固有名詞などの詳細な情報が含まれているか
　　c. 大きな訳抜けはないか
　　d. 余分な言葉をつけ足したり、不要な繰り返しはないか

e. 誤訳はないか

f. 誤訳ではないが改善できる表現はないか

g. レジスター（敬語など）は文脈上適切か

(3) 戦略・態度

a. 聞き取れなかったところや、適訳が瞬間的に思い浮かばなかったときにどのように対処したか

b. 聞き手（お客様）にとってわかりやすい訳か。聞き間違えやすい語への配慮はあるか（例：「科学」「化学」のような同音異義語であれば後者を「ばけがく」と言う、「米国」「英国」のように音が似ている場合は「アメリカ」「イギリス」と言う）

c. 1文、1文をきっちり終えているか（言いかけた文を終わらせずに次の文を始めていないか）

　以上、同時通訳の基礎訓練方法を紹介しました。STEP5の「再構築」やSTEP7の「自己モニタリング」などは逐次通訳でも役立つスキルですので、逐次通訳の練習でもぜひ応用してみてください。

　通訳は高度なスキルを要する職業ですが、地道な訓練を積むことで次第にできるようになります。1年間しっかり練習した結果、プロデビューできるほどにまで上達する人もいます。一方で、何十年の経験を積んだベテラン通訳者でも、日々のトレーニング、案件ごとの予習は欠かせません。スポーツ選手や音楽家と同様に、少しでも練習、実践を怠るとすぐにスキルが落ちてしまうのです。大変奥が深い通訳ですから、うまくできたときの充実感も格別です。そんな通訳の魅力を味わえるようになるには、トレーニングが欠かせないのです。

通訳スキルは
どこで学ぶのか

　通訳者に必要な能力やスキルについて紹介してきましたが、問題はそれをどこで、どう学ぶかということ。会議やビジネスの通訳に限らず、どのようなジャンルの通訳でも、「高度な語学力」、「通訳技術」、「専門知識」が備わっていないとプロとしての仕事はできません。

　活躍中の通訳者は、この3つの力をどのように身につけてプロになったのでしょう？　バックグラウンドはさまざまで、持ち前の語学力を生かして通訳訓練は受けずにいきなりプロになる人もいますが、最近は、通訳者を養成する専門スクール、もしくは日本や海外の大学・大学院で通訳スキルを習得して通訳者になるというプロセスを経る人が主流になってきています。

　通訳スキルを身につけて、仕事を始めるまでの一般的な流れは右ページの通りです。

通訳スクールに通う人が多い

　通訳者をめざす上で高い語学力は大前提ですが、実際の通訳スキルを学ぶには、通訳者養成を目的とした専門スクールに通う方法があります（65ページ **Route 1** ）。

　単なる外国語学習であれば、適切な教材を使って時間をかければ独習も可能ですが、通訳の専門技術を身につけるための学習方法は広く一般的に浸透しているわけではありません。そのため、独りでトレーニングをするのは難しく、遠回りです。また、独学だと自分の訳した成果の良し悪しを評価する手立てもありません。そのため、通訳者をめざす人の多くは、一度は通訳者養成スクールに通ってプロの指導を受けて、通訳の技術や仕事の仕方を学んでいるのです（通訳スクールの詳細は69ページ）。

通訳スキルを身につけるステップ

STEP1・語学力を磨く

・独学で英語を勉強
・通訳スクールが併設している英語専修コースで学ぶ
・高校や大学・大学院時代に長期留学する
・短期の語学留学をする
・海外に滞在し、現地の（または英語による）教育を受ける

STEP2・通訳スキルを学ぶ

Route 1　民間の通訳者養成スクールに通う

最も一般的なルート。専門スクールで効率よく技術を学べる。通訳スクールでは通訳基礎訓練→逐次通訳訓練→同時通訳訓練と、段階を追って指導。通訳スクール系列のエージェントや人材派遣会社経由でプロになる人も。

Route 2　日本の大学・大学院に設置されている通訳コースで学ぶ

日本国内の大学や大学院の中には授業の一環として通訳訓練を行うところも。だが、授業だけでプロになる人はまれで、通常は民間の通訳者養成スクールでさらに訓練を受ける。

Route 3　海外の大学・大学院に設置されている通訳・翻訳コースで学ぶ

海外の大学や大学院には日本語と外国語間の通訳・翻訳コースがあり、これらのコースを修了して通訳者になる人もいる。

Route 4　独学で勉強し、通訳訓練を受けずに通訳者になる

帰国生や留学経験者には、OJTで通訳スキルを身につけた人も。芸能やスポーツ関連など特殊な特定分野に深い知識を持っている人に多い。

STEP3・仕事を始める

通訳者養成スクールに通う人の多くが、訓練を受けながらOJTで通訳実務経験を積む。仕事の開拓は自分の能力次第。また、通訳の仕事は難易度も異なり、通訳者の経験やスキルレベルによって任される仕事も異なる。

日本の大学や大学院で学ぶ

　日本国内の大学・大学院でも、通訳、また翻訳の専門コースを設置する学校が増えています。そこで学んでプロをめざす道もあります（65ページ **Route 2** ）。また、専門コースとまではいかなくても、通訳翻訳プログラムを導入する、通訳訓練のメソッドを語学教育の一部に取り入れるといった大学は多くなりました。通訳スキルの学習法に多方面から関心が高まっているようです。

　ただし、大学で学んだからといって、卒業後すぐにプロの通訳者になれるわけではありません。しかし、若い頃から通訳という職業を意識して学習することは必ずプラスになりますし、大学在学中に語学力や通訳スキルのベースができていれば、その後の伸びも期待できます。実際に、大学在学中から通訳を学び、並行して通訳者養成スクールにも通って、結果的に若くして通訳者デビューを果たして活躍している人も多くいます。

大学院に通う人も増加、メリットは？

　大学では、逐次・同通といった通訳技術を体験したり、シャドーイング・リプロダクションなどの基礎トレーニングを行うなどの実践的な教育が行われます。一方、大学院では通訳を学問として捉え、その理論を学ぶことができます。そのため、すでにプロとして働いている現役の通訳者が、知識を深めるために大学院に通うケースも増えています。

　大学院で学ぶメリット・特徴は以下の通りです。

●理論と実践の両面から学べる

　通訳を体系的に学べるだけではなく、プロ通訳者の養成のための本格的なトレーニング法を導入して独自のプログラムを提供している大学院もあり、通訳を理論と実践の両面から学ぶことができるのも特徴です。中には、実践に力を入れた集中プログラムを提供している大学院もあります。

●研究者や教育者への道が開ける

　フリーランス通訳者や社内通訳者のその先のキャリア形成の一つとして、研究者や教育者になるという選択肢もあります。現在通訳者として稼働していても、最終的なキャリアとして大学機関での職を視野に入れて修士号や博士号を取得する人も少なくありません。フリーランス通訳者は経済的に不安定ですので、大学機関での職で生活の安定を得た上で、通訳者との両立を図ることもできます。

●少人数できめ細やかな授業

　遠隔同時通訳（RSI）プラットフォームをいち早く授業に取り入れるなど、その時々の需要を反映した授業も行われます。少人数ですので、通訳スクールに比べて授業でのパフォーマンスのチャンスも多くなります。

　ただし、大学や大学院は、通訳者養成スクールと異なりエージェントが併設されていないので、学習が仕事に直結するわけではありません。それでも、幅広い学びが実際に通訳者として働き出す際にプラスになるはずです。

海外の大学や大学院で学ぶとより即戦力に？

　一方、海外では日本と比べると、大学・大学院レベルでの通訳・翻訳教育が盛んです。そうした大学・大学院に留学して2年ほど学んだ後、通訳者として活躍する人もいます（65ページ Route 3 ）。

　例えば、オーストラリアには、国立翻訳・通訳者資格認定機関（NAATI）があり、通訳・翻訳の資格認定制度があります。NAATI認定の大学・大学院も複数あります。

　またその他の国でも、さまざまな言語で通訳・翻訳カリキュラムが展開されています。数としては少ないですが、その中には、日本語と英語（もしくは他の言語）で通訳・翻訳が学べるカリキュラムを設置している学校もあります。アメリカのミドルベリー国際大学院モントレー校、オーストラリアのマッコーリー大学、イギリスのリーズ大学などは有名です。海外の大学や大学院では、日本よりもより実践的な通訳・翻訳教育が行われて

いるようで、卒業後にすぐに即戦力の通訳者として活躍する人もいます。

　海外の大学・大学院で通訳や翻訳を学ぶ場合には、入学時に母語と学習言語の2言語について、相当高度な語学力が必要とされます。単なる語学学校への留学とはレベルが違うので、そのあたりを十分に考慮して準備する必要があるでしょう。

独学は無理なのか？

　活躍中の通訳者の中にはもちろん、通訳者養成専門スクールには行かずに現場で技術を覚えたという人もいます。それは通訳の教授法が確立されていなかった時代から活躍している大ベテランの通訳者や、業界のコネクションで通訳者になる人が多い、芸能・スポーツなどの分野の通訳者に多いようです。

　しかしそれ以外の一般通訳でもあります。例えば、英語が堪能であるということを買われて企業内で通訳を頼まれたりしているうちに、実地で通訳の仕事を覚えていく、というケースも実は少なくありません。通訳訓練を受けずに現場でOJTを重ね、そのまま独り立ちしていく通訳者もいます。

　OJTとして現場で通訳の回数を重ねることで、会議参加者全員に聞こえる声の大きさはどの程度か、会議出席者同士でクロストークが始まってしまったら、それをどうさばくかなど、通訳スクールの授業では身につけることができないスキルをいち早く習得することができます。ただし、独学だと自分の短所やくせなどを指摘してくれる人がいないので、弱点や短所を矯正するチャンスが少ないという不利な点もあります。

通訳スクールで学べること

　通訳技術を手探りで勉強するよりも、通訳者養成スクールで専門家の指導を受けることでプロになるまでの距離が縮まることは間違いありません。通訳者養成スクールとは、どのようなことが学べる場なのでしょうか。

スクールでは逐次通訳と同時通訳のトレーニングを

　通訳の手法には、大きく分けて逐次通訳と同時通訳がありますが、通訳者養成スクールとは、簡単に言えば、逐次通訳と同時通訳ができるように訓練してくれるところです。

　逐次通訳は、スピーチを一定の長さで区切って訳し、訳し終わると続きを聞いてまた訳すという手法。原文を聞いて「理解」し、理解した内容を「記憶保持」（リテンション）し、それを別の言語に「口頭で訳す」という一連の流れの作業です。記憶保持のために、原文を聞いているときに補助的にメモを取りますが、基本的に自分の記憶力が頼りになります。逐次通訳の訓練では、「理解」と「記憶保持」、そして「訳す」ことを瞬時に行う練習を重ねます。

　一方、同時通訳はスピーチを聞きながら訳し、訳している最中もスピーチを聞く、この繰り返しで訳す手法。同時通訳を行うためには、聞いてすぐに訳を言う瞬発力に加え、聞きながら口頭で表現するという2つの作業を同時に行う能力を養う必要があります。

　逐次通訳や同時通訳のスキルを完成させるには時間がかかります。通訳スクールではシャドーイングやリプロダクションといった通訳の基礎能力を高める訓練を行った後、本格的な逐次通訳の訓練や、逐次通訳の訓練をしながら基礎訓練を付随的に行うなど、段階を追ってトレーニングします。

指導者は現役の通訳者。教材は生の素材

　通訳コースの講師を務めているのはほとんどが現役の通訳者です。通訳スクールで勉強するメリットの一つとして、講師から実際の通訳現場の話を聞くことができるという点もあります。現場の雰囲気を知ることは貴重な経験です。

　また、教材としては外国語や日本語のスピーチ素材を利用しています。その素材は講師やスクールの関連機関が携わった実際の会議・セミナーなどのスピーチや、放送で流れたニュースの音声です。授業のために、実際の案件で通訳するような内容の原稿を作り、録音して作成した教材もありますが、できる限り生の素材を使うことで実践的訓練をめざします。

　実際の通訳現場では、声が小さい、なまりがあって聞き取りにくいなど、通訳者にとって悪条件のスピーチが多いものです。スクールでは、いかなるコンディションのスピーチを通訳する事態になっても訳せるように訓練していきます。

入学試験がある

　通訳訓練を受けるには一定の語学力が必要になります。そのため、通訳スクールのほとんどが入学試験を実施しています。スクールによって必要な語学力の基準は異なりますが、英検準1級以上、TOEIC 800点以上というところが多いのが現実です。

　試験の内容もスクールによりますが、単なる語学試験ではなく、スピーチを聞いて要約させたり、実際に訳させたりするところもあります。

通訳者養成スクール入学のために必要な語学力の高さに驚く人もいるかもしれませんが、語学力不足の人を対象としたコースを開講しているスクールもあります。仮に通訳クラスの試験に落ちても、こうしたクラスで語学力をアップするところから始めましょう。

　また、通訳スクールはレベルによって細かくクラスが分かれています。コース（クラス）の仕組みはスクールによって異なりますが、入門科→基礎科→本科→プロ科というふうに、3から8段階でステップアップするところが多いようです。

　まず逐次通訳の訓練からスタートし、どのようなテーマでもある程度の品質の逐次通訳ができるようになったところで、同時通訳の訓練を開始します。スクールによってクラスの名称は違いますが、本科（上級）のレベルに達すると同時通訳の訓練が始まるようです。本科以上のクラスでは、逐次通訳と同時通訳を並行して訓練し、徐々に逐次から同通へのウエイトを高めていきます。

＊通訳者養成スクールのコース編成例＊

入門科 （準備科）	基礎科	本科 （通訳科）	プロ科 （同時通訳科）
単語力やリテンションをアップさせる通訳基礎訓練とともに、短い文章を聞いて英→日、日→英と訳す逐次通訳の訓練を行う。メモの取り方なども学ぶ。	逐次通訳訓練を繰り返し行う。単語力やリテンション能力、表現力のアップ、背景知識の蓄積を図りながら、長めの文章を聞いて、英→日、日→英へと訳す。	逐次通訳の完成をめざして訓練を重ねる。同時通訳の訓練もスタート。仕事を始める人も出てくる。	同時通訳の訓練を重点的に行なう。ある程度仕事もこなしているプロがよりレベルの高い同時通訳をめざして訓練を積む。

コースは1期が半年。2〜3年通う人はザラ

　通訳コースはどのレベルでも1期を半年としているスクールがほとんど。そして各期ごとに進級試験があり、合格者が上のレベルに進級できます。いちばん上のクラスで優秀な成績を修めると、卒業（修了）という形をとるようです。修了までにかかる年数は人によりますが、2〜3年は一般的で、長くなると5年以上という人もいます。進級できずに同じクラスを2〜3度繰り返す人も珍しくありません。

　漫然と通っているだけでは力はつきませんから、予習や復習、日々の学習が必要になります。「大学受験よりも勉強した」「予習、復習に追われる日々だった」と振り返る通訳者もたくさんいます。

　また、受講中から仕事を始める人もいます。逐次通訳が安定してできるようになると、報酬を得る仕事への道が開けてきます。さらに、すでに通訳の仕事をしていても、ブラッシュアップのために通う人もいます。

通訳者養成スクールに通うメリット

　通訳スクールに通うことのメリットは何でしょう？　通訳スキルが効率的に身につくことがいちばんですが、それ以外にもあります。

●基本的な通訳訓練方法を学ぶことができる
　シャドーイングやサイトトランスレーションなどの訓練方法は、いわばアスリートにとっての筋トレのようなものです。通訳者になるための訓練法としてだけではなく、プロになってからも自己トレーニングとして活用することができます。

●時間の融通が利く
　大手の通訳者養成スクールでは、6カ月間を1期とする本格的なコースもあれば、受講期間が1カ月ほどの短期プログラムまでさまざまなコースが用意されています。レベルも初心者レベルからすでに仕事をしている通訳

者向けのワークショップまで、各段階に応じたコースがあります。

●適切なアドバイスを受けることができる

　客観的なアドバイスがないと、自己流の独りよがりな通訳法が身についてしまう恐れがあります。独学では自分では気づかないくせや弱点を矯正するのは容易ではありません。スクールの講師は経験豊富な現役通訳者が多く、プロの視点から受講生のパフォーマンスを評価してくれます。

　ただ、受講する際に気をつけたいのは、教わった講師の通訳スタイルのみが正しいと思い込まないことです。通訳のスタイルはさまざまで、すべての情報を漏れなく訳出する通訳者もいれば、情報量（アウトプット）は抑えながらも意図を正確に訳出することが大事だとする通訳者もいます。講師の教えを参考にしながら、自身の通訳スタイルを確立していきましょう。

●人脈作りができる

　スクールで培われた受講生同士の人脈は、貴重な財産です。例えば、通訳エージェントではなく、クライアントから直接仕事を受けていると、複数名が必要な同時通訳の際など、知り合いの通訳者を紹介してほしい、と言われることがよくあります。スクールで一緒に学んだ間柄であれば、実力も人柄もよくわかっているので、安心して紹介することができます。また、現役通訳者である講師から、クライアントを紹介してもらえることもあります。

●最初の仕事につながる

　大手のスクールでは通訳エージェントが母体となっていたり、併設されているところが多いため、スクール経由で仕事のきっかけができるというメリットもあります。例えば、スクールの母体のエージェントから卒業生や受講生に優先的に仕事が紹介されることがあります。在学中にアルバイトや人材派遣、またはボランティアなどで、受講生の通訳現場デビューを後押ししてくれる通訳スクールは、学習中の人にはとても心強い存在です。

(((COLUMN)))

通訳スクールもオンライン化

　通訳者養成スクール（通訳スクール）は、在宅で学ぶ「通信」も多い翻訳スクールとは違って、「通学」が基本でした。通訳スクール内に通訳ブースを設けているところもあり、受講生は通訳環境が整備された教室に通って、授業を受けていました。しかしそうした学びのスタイルも2020年の新型コロナウイルス感染症拡大で変わりました。

　対面授業が難しくなった通訳スクールの多くは、通学コースをオンライン授業に切り替えて開講するようになりました（※）。ZoomなどのWeb会議システムを使った授業になり、受講生と講師をオンラインでつなぎ、画面を通じてやり取りし、通訳演習もできるようになっています。

　これまで通訳を学びたくても通訳スクールが近くになく、通学できなかった人にとっては、通学コースのカリキュラムの内容をオンラインで受講できるのは魅力的であるともいえます。

　また、通学コースをオンラインで実施するのとは別に、インターネットを使うタイプの通訳関連の通信講座、eラーニング講座も増えてきました。

　eラーニング講座の場合は、オンライン上のやり取りではなく、事前に作成された動画を視聴する形になります。双方向の訳出演習はできませんが、受講期間中であれば、好きな時間に自分のペースで繰り返し視聴できるのが魅力です。

　コロナ禍で遠隔通訳が増えたように、通訳スクールでの学び方も変化してきています。今後は、同時通訳や逐次通訳の演習のほかに、遠隔通訳の方法を学ぶ授業なども行われるかもしれません。

※2021年8月時点。コロナ禍後は対面授業に戻る可能性もある。

Part

03

実践編

仕事の
始め方・進め方

通訳者の働き方と仕事獲得の流れ

　ある程度のスキルを身につけたら、いよいよ仕事を始めるべく準備を進めたいものです。通訳者のワークスタイルや仕事をスタートするまでの流れを追っておきます。

フリーランスが多いが社内通訳もあり

　通訳者のワークスタイル（働き方）というと"フリーランス"のイメージが強いですが、会議・ビジネス通訳の分野では、一般企業で"社内通訳者"として活躍する人、人材派遣会社を通じて派遣スタッフの立場で通訳の仕事を担う人もいます。しかし実際には、通訳の仕事を企業から請け負って通訳者に発注する企業「通訳エージェント（通訳会社）」に登録し、その会社を経由して仕事を得る、フリーランスのスタイルが主流になります。

　一方で、最近は企業に属する社内通訳者も増えています。働き方や仕事内容によって、仕事に就くためのアプローチ先も異なってきます。

＜通訳者のワークスタイル（会議・ビジネス通訳の場合）＞

> フリーランス　アプローチ先 ➡ **通訳エージェント（通訳会社）**
> 社内通訳者　アプローチ先 ➡ **人材派遣会社、通訳エージェント**

> ※放送通訳、エンタテインメントの通訳、司法通訳の場合は、ワークスタイルはフリーランスが主流。
> 放送通訳　アプローチ先 ➡ **放送関連のエージェント**
> エンタテインメントの通訳　アプローチ先 ➡ **レコード会社など専門企業や芸能関連に強いエージェント**
> 司法通訳　アプローチ先 ➡ **裁判所や警察署など**

最初はスクールのサポートや派遣を活用

　フリーランスにしろ、社内通訳者にしろ、どうしたら仕事を始めることができるのでしょう。通訳という職業に就くための国家資格や試験があるわけではなく、仕事を始めるためのルートがはっきりしているわけではありません。通訳者養成スクールや講座は多数ありますが、修了・卒業したからといって必ずしもプロになれるわけではありません。

　これから通訳者を志す人にとっては、「最初の仕事をいかに獲得するか」が何より大きな課題となりますが、そのパターンはいくつか考えられます。

　通訳スクールに通っている人の場合は、在学中に国際会議の語学スタッフやアテンドなど、通訳関連の簡単な仕事からスタートするのがよいでしょう。大手の通訳スクールは、母体は通訳会社であるところが多く、在校生や卒業生を通訳者や語学スタッフとして多く起用しています。最初の仕事を自分で探し出すのは簡単ではないので、こうしたスクールのシステムがある場合には大いに活用しましょう。

　その他、キャリアに応じた"最初の仕事"の獲得法は以下の通りです。

＜最初の仕事の獲得法＞

●未経験者に特にオススメ

・地方自治体や関連機関にボランティアとして登録し、経験を積む

・人材派遣会社に登録して、通訳関連の仕事に就く

・社内通訳者などを募集している企業に就職する

・クラウドソーシングサイトを活用する

●スクールを活用したい人にオススメ

・通訳スクールが提示している求人情報に応募する

・スクール関連の通訳エージェント（通訳会社）からの紹介で、国際会議の語学スタッフなど、簡単な通訳業務からスタートする

・スクール関連の派遣会社経由で、社内通訳の仕事に就く

●多少経験のある人にオススメ

・とにかく通訳エージェントに登録して、簡単な仕事から紹介してもらう

・知人、同業者に紹介してもらう

新人向けの仕事とは？

　最初の仕事、新人通訳者向けの仕事とはどのようなものでしょう？　よく新人に依頼される仕事の例は下記の通りです。

＜新人通訳者が担当することの多い仕事＞

・アテンド（エスコート）通訳

・レセプションでの通訳

・国際会議の受付やインフォメーションの語学スタッフ

・国際会議のランチやディナーでの通訳

・展示会でのブース付き通訳

・研修での通訳

・工場視察の通訳

　いずれも特徴は、通訳だけではなく、人と接する接客的な要素が多いことが挙げられます。例えば、レセプションなどでは、会話の橋渡しをするだけでなく、通訳者自身が依頼主と会話をする必要性も出てきます。

　そうした仕事を経て、だんだんと純粋に通訳の比重が高い仕事を任されるようになります。通訳会社が若手に依頼する仕事は、人によってはもの足りなさを感じるかもしれません。ある程度慣れてきたら、自分のキャリアを意識して仕事を選択することも大切ですが、駆け出しの頃はどのような仕事でもチャレンジする意欲も必要になります。

先輩通訳者の初仕事の例 （『通訳・翻訳ジャーナル』より）

・アテンド通訳（5時間）　　　　　・スポーツ大会の参加者の随行

・展示会出展者の通訳　　　　　　・団体の施設、工場見学・視察時のアテンド通訳

・自動車工場での研修通訳（2週間の逐次通訳）

・講演会のパネルディスカッションの通訳

・国際シンポジウムのパネルディスカッションでの逐次通訳

・自動車関連の会議の逐次通訳

・スポーツ大会の選手団付き通訳　・スポーツイベント関連での逐次通訳

・ジャーナリストの取材で逐次通訳　・ビザ取得時の面接をサポートする逐次通訳

デビュー後はどうなる？

　仕事の始め方やタイミング、その後のキャリアは人それぞれですが、派遣会社を利用して自分に合った社内通訳の仕事を選びながら、ある程度経験を積んだらフリーランスに移行……という形でステップアップする人が多くなっています（詳細は114ページ）。

　通訳者は技術と経験によって"ランク分け"されるのが一般的で、そのランクによって依頼される仕事は大きく異なります。実力主義で競争も激しい世界なので、デビューを果たして通訳の世界に入った後も、常に勉強が必要で、緊張にさらされることになります。初仕事のチャンスをつかみ、デビューがかなったからといって、漫然としていては成長ができないのです。トップクラスの通訳者をめざすのであれば、スキルを磨いて意識的にキャリアにつながる経験を積んでいく必要があります。

新人の頃はココが大変！（『通訳・翻訳ジャーナル』より）

●収入面の不安や仕事の開拓
・収入がなかなか安定しないこと。8月や年末年始は仕事量が減り、繁忙期との落差が大きいこと。
・コンスタントに仕事をもらえるようになるまで時間がかかる。仕事のリズムが作りにくいこと。
●仕事の内容
・キャリアアップにつながる仕事をもらうのに苦労する。
・新人に多い仕事の一つがレセプションだが、歓談では、思いもよらぬ話題がでるので緊張の連続。
●スケジュール管理
・仕事を受けすぎてしまい、準備時間の確保に苦慮した。
・仕事と準備に追われて、プライベートがゼロに。
●いきなりリモートに
・通訳現場に出向いた経験も少ないままリモート案件が中心になってしまった。不慣れなのにリモートはつらい。

フリーで仕事をするには通訳エージェントに登録を

　最初からフリーランスで働く人もいれば、社内通訳を経てフリーになる人もいます。具体的にどのレベルでフリーランスにシフトするかは実力や環境によりますが、フリーランスで働く＝通訳エージェント（通訳会社）に登録可能な経験とスキルがある、ということになります。

　通訳エージェントには誰でも登録ができるわけではなく、一定の条件をクリアした上で、さらに会社によってはレベルチェックや面接を経て、登録が可能になります。応募条件は「通訳実務経験3年以上」とする会社も多く、基本的には通訳経験のない人は登録ができないと考えてよいのですが、例外もあるのでそれぞれの会社のホームページなどをチェックしましょう。

　登録通訳者については常時募集をしている通訳エージェントが多いのですが、まれに急募の案件などがあると、求人サイトや『The Japan Times』などの求人欄に掲載されることもあるようです。

＜エージェント登録の流れ＞

アプローチ企業の検索／求人情報収集にはインターネットを活用。業務内容、取扱分野などを検討し、レベルに合った仕事の需要がありそうな企業に応募。応募条件も必ずチェック。

⬇

応募書類の準備／履歴書、職務経歴書を提出。職歴や通訳経験が最重要。その他、語学的背景、通訳訓練の経験の有無、専門分野の知識の有無もチェックされる。

⬇

問い合わせ・面接の申し込み／最初の問い合わせはメールが主流。応募時の対応で、社会性や言葉づかい、一般常識などもチェックされるので、気は抜けない。

⬇

面接＆スキルチェック／書類選考を通過後、面接や通訳のスキルチェックを受ける。人と接する仕事なので、面接では人柄も重視される。

社内通訳を詳しく知る

● 一定期間、特定の企業で通訳者として勤務する仕事のこと。「インハウス（通訳）」とも呼ぶ。雇用形態は正社員、契約社員、派遣社員などさまざまだが、正社員よりも、契約社員や派遣スタッフが多い傾向。

●「通訳専任」もあるが、「通訳兼秘書」、「通訳兼翻訳者」として勤務することも多い。通訳専任でなければ、ミーティングの合間に翻訳をしたり、秘書業務や一般事務業務も行う。

●「通訳専任」の社内通訳者はハードルが高い。逐次通訳が安定してでき、ウィスパリング、同時通訳も経験のある、中堅くらいの人が求められる傾向。

● 通訳実務経験が浅い人には、「通訳業務を伴う秘書」「通訳業務を伴う一般事務」「通訳・翻訳兼任」など、通訳以外の業務を含む仕事が任される。

● 社内通訳でも勤務先がリモート（在宅）勤務となれば、社内のミーティングなどを遠隔通訳（リモート通訳）することになる。

社内通訳のメリット

○ 同一企業内で働くことで知識を積んで技術を安定させることができる

○ 収入が安定している

○ 通訳実務経験が少なくてもチャンスはある

社内通訳のデメリット

○ 同じ環境で通訳をするため、新しい経験が乏しい

○ 日常の仕事をこなしていて向上心がなくなる

○ 通訳環境がよくないことも

Part

03

実践編

仕事の始め方・進め方

通訳エージェントに登録する方法

フリーランスの通訳者として働くには、通訳エージェント（通訳会社）への登録が必要になります。登録するにはどのような点に気をつければいいのでしょうか？　ここでは通訳エージェントのM&Partners International（以下、M&Partners）にご協力いただき、登録時にチェックされるポイントやアドバイスを詳しく紹介します。

＊82〜85ページ　取材協力／M&Partners International（会社紹介は188ページ）

「書類選考」は何ができるか？を見る

フリーランス通訳者が通訳エージェントに登録するまでのプロセスは会社により異なりますが、編集部が行ったアンケートによると、「書類選考＋面接、必要に応じてスキルチェック」という会社が多くなっています。

M&Partnersでは、登録も受け付けていますが、多いのは「通訳者からの紹介」だそうです。「信頼する通訳者からのご紹介による登録が仕事に直結する最短コース」とのこと。実際、通訳エージェントでは登録要件を「実務経験3年」や「同5年」とする会社が多いのですが、通訳者から推薦や紹介があれば登録できるケースもあります。実力主義の世界なので、現場での仕事ぶりや通訳のスキルを知る人からの「紹介」や「人脈」が威力を発揮する傾向にあります。

通訳エージェントへの登録のプロセス

書類選考＋面接、必要に応じてスキルチェック	11社
書類選考＋面接	11社
書類選考＋スキルチェック、合格者にのみ面接	3社
スキルチェックは応募者全員に受けてもらう	3社
書類選考のみ	2社

＊『通訳・翻訳ジャーナル』編集部が2020年に通訳エージェントに行ったアンケートより

応募時の書類では自分をいかにアピールできるかが重要になってきます。応募書類の書き方の例は86ページの通りですが、エージェントが重視するのはやはり「過去の通訳経験」です。その際、例えば「IT系の企業で社内通訳をした」という情報だけでは不十分で、具体的にIT系の何を扱ったのか（ソフトウェア系なのかネットワーク系なのかなど）、どのような場で通訳したのか（商談、取締役会議、マーケティング…など）、細かい情報を必要としています。通訳エージェントは「この人にどのような仕事を任せられるか」という観点で書類をチェックしています。

＜エージェントより　応募書類のアドバイス＞

・通訳経験、内容は機密保持の観点で書けない情報もあるが、可能な限り具体的に落とし込んで書く（具体的に依頼できる案件のイメージがわく）

・汎用性のある書類ではなく、エージェントごとに内容を変える。書類の段階から戦略的に（エージェントの得意分野を意識して盛り込む）

・遠隔通訳の実績と自宅での通訳環境も加える（これからは必須に）

・学歴や趣味の欄も見ている（意外な適性が見つかることもあるため）

面接では話し方や振る舞いもチェックされる

　人前に立つ機会の多い通訳者の場合には、面接が重要です。アンケート結果を見ると、スキルチェックは無くても「面接」は必ず実施する通訳エージェントが多くなっています。

　M&Partnersでも、面接は必須です。面接の際には「この人がお客様の前に立ったときにどう振る舞うか、信頼を勝ち得るかという視点で見ている」そうです。一般的な就職試験と同様に、立ち居振る舞い、受け応え、話し方などは重要なのです。

　また通訳と同様に、採用時の面接もオンラインで行うことが増えました。面接の際には、どれくらいオンライン対応に慣れているか、通信環境を整えているかもチェックしているそうです。オンラインでの面接がスムーズにできないと「遠隔通訳への対応は難しい」と判断されてしまうので注意が必要です。

<エージェントより　面接のアドバイス>

・話し方の印象や声質は当然ながら、ちょっとしたくせも見ている（「えー」「あー」などのフィラーなど）

・面接を通して本人の気がつかない、通訳案件への適性も見ている（はきはき話す人だから会見時の通訳向きだろう…など）

・オンライン面接の場合、遠隔通訳用の通信環境、音声、調整も含め、対応を見られている（マイクの音声などにも注意）

スキルチェックではここを見る

　通訳エージェント登録時のスキルチェックは、実施する会社と特に行わない会社があります（82ページ参照）。エージェントへのアンケートによると、スキルチェックを実施する場合には、逐次通訳のみのケースと、逐次＋同時通訳のケースがあります。また、いずれも日英、英日双方を訳出し、時間は10分から20分程度。訳す内容は専門的なものではなく、一般的なビジネスシーンのやり取りやスピーチが用意されているようです。

　また、"スキルチェック"というくらいですから、チェックポイントが設けられています。スキルチェックの際にエージェントが重視する点は以下の通りです。

　M&Partnersの場合、新規登録者は通訳者からの紹介が多く、その際は、スキルチェックはありません。スキルチェックを実施する際は、逐次通訳をしてもらい、正確性はもちろんですが、「ビジネスにふさわしいアウトプットができているか」を重点的にチェックしているそうです。

スキルチェックの評価の際に重視する点

1位　**内容理解・把握が正しくできているか**

2位　**英日の通訳力**

3位　**日英の通訳力**

以下、社会人としてのビジネスマナー／日本語表現は自然か／発話が聞きやすいか／レスポンスの速さ／英語の発音がいいか／文章が構成できているか／身だしなみを含む第一印象／メモを取っているか／声質

＊『通訳・翻訳ジャーナル』編集部が2020年に通訳エージェントに行ったアンケートより

<エージェントより　スキルチェック時のアドバイス>

・発話をしっかり拾えているか、アウトプットが適切にできているか、正確であるかは当然チェックされる（基本的な通訳スキル）

・幼稚な言葉ではなく、ビジネス用語、専門用語でアウトプットできているか、社会人としての言葉が使えているか（日本語が拙いようでは、ビジネスシーンに合わない）

・ちょっとした話の脱線にも対応できるか（英語でも日本語でも）

もし登録できなかったら？

　M&Partnersの場合には、「なるべくその方のレベルに合った仕事を紹介したいと思っているので、一定レベルに達していれば、基本的にはお断りしない」とのことです。ただし登録条件が非常に厳しい会社が多いので、登録までこぎつけないことはよくあります。

　もし登録がかなわなかった場合、年数を置けば再チャレンジも可能ですが、すぐに受けるようなことは避けましょう。

　通訳の実務経験が乏しいのであれば、例えば、まずは「語学力があれば登録可能」といった派遣会社を探して、通訳に近い仕事を希望したり、社内通訳を複数経験するなど、履歴書に書ける通訳歴を増やしましょう。

エージェント登録をめざす人へアドバイス

　遠隔通訳が増え、通訳業界はボーダーレスになりました。優秀な方で、遠隔通訳対応可であれば、首都圏を問わず、登録が可能です。これを念頭に置いた上で、応募書類に遠隔通訳の経験をしっかり書きましょう。面接時の振る舞いは大事ですが、そちらもオンライン（ZoomやMicrosoft Teamsなど）を想定した目でチェックされます。「遠隔通訳には何が必要か」とよく聞かれますが、パソコン2台、またはパソコン＋タブレットなどデバイスも2つ必要になってきていると思います。候補者が世界中にいる時代、自分が通訳の仕事を獲得するにはどうすべきかという、戦略を立てていくことが必要だと思います。また、キャリア不足で登録が難しい方は、まずは社内通訳で経験を積むとよいでしょう。　　　　（M&Partners International採用担当者談）

2021年9月30日現在

職務経歴書

市ヶ谷花子

東京都新宿区市谷本村町2－3
080-1234-××××
×××@×××××

① 【職務経歴・企業内通訳経歴】
2005年4月～2007年3月　○○ツーリスト株式会社（旅行）　正社員
　　　　　　第一営業部　ツアー担当、海外法人との営業業務

2007年4月～2008年3月　インターナショナル○△株式会社（IT系）　派遣
　　　　　　金融事業部内プロジェクト付通訳、顧客訪問（訪問先企業：○△
　　　　　　株式会社、な

2008年5月～2010年1
　　　　　　取締役付秘書
　　　　　　（逐次・ウィ
　　　　　　社内文書、ウ

2016年4月～現在　フリーランス通訳者として活動。

② 【フリーランス通訳実績】
得意分野：金融、製薬・医療機器、IT・インターネット、環境、Eコマース
2016年4月～現在（詳細については別紙参照）

③ 【遠隔通訳実績】
Interprefy、Zoom使用の同時通訳経験（在宅、および通訳エージェント内ブース）多数あり
（詳細については別紙参照）

【学歴】
1998年4月　○△大学英文学科入学　　2002年3月　同校卒業
2002年5月　米国○△大学大学院　○△専攻　　2005年3月　同校修了

④ 【通訳訓練】
2014年3月　○○通訳スクール通訳科会議通訳コース　修了

【資格】
2010年　ファイナンシャル・プランナー　3級
2018年　TOEIC 985点

③ 【遠隔通訳環境】
ノートPC／CPU：Core i7、Windows 10
外付けモニターあり
○○○セキュリティインストール済み
有線LAN接続／通信速度○○
防音スペース設置済み

【自己PR】
企業内通訳として複数の企業で勤務経験あり。特に金融系に強く、複数のクライアントからリピートをいただく。通訳者としてのモットーは○△○△○。

①社内通訳の実績は大事！ 派遣のキャリアでも詳細に

　職歴は細かく書きましょう。通訳とは関係のない職歴も、通訳をする際の経験値としてプラスになることもあります。企業内の通訳経験については、正社員でも派遣スタッフでも通訳実績は多いほうが有利なので記載しましょう。会社名だけでなく、どのようなポジションの人に付いてどのような内容の通訳をしたのか、逐次か同通か、通訳の形態も明記すること。具体的で詳細に書かれているほうが、多少経験が少なくても採用担当者の目にはとまりやすいものです。

②フリーランスの通訳経験は細かく、別紙の実績表を付けても

　フリーランスのキャリアがある場合、「通訳実績表」として別紙に細かく通訳業務内容をまとめるといいでしょう。時期、内容（クライアントの名称や業種など守秘義務に抵触しない範囲で）、通訳手法（同時、逐次、ウィスパリング）、さらに2020年以降は遠隔通訳が増えたので、遠隔か現場（対面）通訳かも明記しましょう。実績の記載は時系列ではなく、「IT」「金融」など分野別でもいいでしょう。

　また通訳実績の乏しい人、フリーランス経験のない人は、国際会議のアテンドや自治体の通訳ボランティアでも構いません。どのような経験でも「実践で通訳をした」ということを漏らさずアピールしましょう。

③遠隔通訳の実績と環境を加える

　2020年以降、遠隔通訳急増につき、通訳実績の中から「遠隔通訳実績」のみを抜き出して別途記載すると、採用担当者もわかりやすくなります。また、自宅で通訳をする際の環境も書き添えましょう。翻訳者が作業環境や使用ソフトを明記するのと同様です。

④通訳スクールでの学習内容がプラスになることも

　採用担当者がチェックするのは、経験と技術レベル。職歴から、技術レベルはある程度推し量ることができますが、それとは別に一つの目安となるのが通訳スクールでの学習歴です。学習経験は職歴を補うこともあるので、実務経験が乏しい人ほど、在籍クラスまで含めて明記しましょう。

〇職務経歴書としてはA4で2枚くらいが妥当。別途、一般的な履歴書や通訳実績を一覧にまとめたもの（実績表）も用意しておくとよいでしょう。

準備と当日の動き
―現場（オンサイト）での通訳の場合 ―

　通訳者デビューをめざす前に、仕事の手順を知っておきましょう。通訳者の仕事は、指定の現場に行き、通訳する形が一般的でしたが、2020年のコロナ禍を機に、現場に行かず、遠隔（リモート）での通訳が増えました。従来の現場での通訳（現場通訳、オンサイト通訳）であれ、遠隔通訳であれ、本番で通訳するだけが仕事ではありません。実際は本番以上の時間をかけて周到な準備をしているのです。

　通訳者が仕事を受けて、通訳を行う当日までの仕事の手順は以下の通りです。現場通訳でも遠隔通訳でも、手順と準備は当日まではほぼ同じです。

通訳者の仕事手順

①仕事の受注

　まずは通訳会社（エージェント）から、依頼を受けるところから始まります。時期はまちまちですが、大規模な会議になると、1年も前に打診されることもあります。仕事の打診は急ぎのときは電話ですが、基本的にはメールです。その際、内容をしっかり把握して受けることが大切です。

＜受注時の注意＞

・メール（もしくは電話）をこまめにチェックし、素早い対応を心がける
・日時、内容、通訳形態（逐次or同通、現場or遠隔）、場所（現場通訳の場合）は最低限この時点で確認
・ダブルブッキングはご法度。余裕のあるスケジュール管理を
・一度確定した仕事はキャンセルしない

②資料の受け取り

　受注をしたら、通訳エージェントから当日の詳細について資料が送られ

てきます。データのメール添付、またサーバー上でのやり取りが多くなりましたが、紙の資料で郵送されるときもあります。資料の受け取りが会議直前になることもあります。

＜資料受け取り時の注意＞
・資料はいつ、どれくらいもらえるのか、受注時に確認しておく
・資料が届いたらその日のうちに内容を確認。不備があればすぐ通訳会社に連絡するなど、迅速に対応
・重要な情報が記載された資料の取り扱いには十分に注意を

③リサーチ・準備

　資料を読み、内容について自分自身で調べます。例えば環境関連の会議ならば、該当のトピックをインターネットで調べ、頻出用語をピックアップします。資料とリサーチを生かして用語集を作成しておくと、当日の対応もスムーズになります。また、講演や国際的な会議などになると、スピーカーの読み上げ原稿が事前に届くこともあります。その場合、用語集などと照らし合わせながら、目を通しておきます。

＜リサーチ・準備時の注意＞
・どのような仕事でも、十分なリサーチと準備を
・頻出用語、会議の名称や出席者の名前などの固有名詞や肩書きなどは事前にピックアップを

④当日

　現場での通訳の場合、事前に場所と交通手段の確認をしておき、時間的な余裕を持って現場に入りましょう。通訳会社の人への挨拶や打ち合わせをすませた後、スピーカーとの打ち合わせが入ることもあります。その後、通訳者が2～3人体制で仕事をする場合は、通訳者同士の打ち合わせをして、本番に臨みます。

＜現場での通訳・仕事当日の注意＞
・早めに会場入り　　・TPOに合った身だしなみや忘れ物に注意
・クライアントやエージェントには仕事の前に挨拶を
・会場のコンディションをよくチェック。不具合は本番前に改善を

現場通訳（オンサイト通訳）の当日の動き

　仕事の手順に沿って準備を進め、当日を迎えた通訳者。実際の通訳現場ではどのような流れで仕事をしていくのでしょうか。

　「ある大規模な国際会議において、会場内の通訳ブースで通訳者2人が同時通訳する」と仮定して、当日の通訳者の業務の流れの一例を紹介します。

9時00分　会場入り
現場に来ている通訳エージェントの担当者や、通訳機材のエンジニアに挨拶をします。

9時15分　スピーカーとの挨拶・打ち合わせ
国際会議では、開演前に通訳者とスピーカー（講演者）が顔合わせと打ち合わせをすることが多くなります。講演の内容やポイント、事前の資料に不明点などがあれば尋ねることも可能です。

9時30分　通訳者同士の打ち合わせ、資料のチェック、機材・マイクのチェック
エージェント担当者から渡された、当日の資料に目を通します。通訳者は2名体制。どちらがどの部分を担当するか、打ち合わせをします。事前に決めるケースもあります。
資料が届くのがギリギリになった場合、時間との勝負になります。
またマイクやイヤホン、備え付けの通訳機材のチェックも行います。

10時〜　開会の挨拶

国際会議では開会式なども行われます。スピーカーが日本語の場合は日英、スピーカーが英語の場合、英日の通訳になります。

10時30分〜　基調講演、午前のセッション

基調講演の通訳は前半、後半で分担し、1人当たり20分近くの通訳をしました。通常、同時通訳の場合15分程度での交代が主流です。

本番中、ブースの中は暗くなるので、耳はスピーカーの発話に集中しながら、手元のライトを頼りに資料を目で追います。

12時45分　休憩・昼食・打ち合わせ

14時30分〜17時15分　午後のセッション

2時間45分の長丁場でスピーカーも多いため、通訳者がもう1人加わり、3人体制で本番に挑みます。

30分の講演は2人で分担し、それ以外の短めの発表は、スピーカー1人を通訳者1人で担当しました。

17時30分　終了、退出

通訳終了後、最近は機密保持やコンプライアンスの観点から、会議で通訳者が使った資料を通訳エージェントの担当者に返却するケースが多くなっています。通訳エージェントの担当者に挨拶をして退出します。

終了後の資料整理も仕事のうち

一つの仕事が終わった後、その仕事のために揃えた資料や用語集は貴重な財産。ただちに整理して、次の仕事に備えます。多くの通訳者は「金融」「環境」など、通訳した分野ごとに分類して、エクセルにまとめたり、ファイルをしています。

準備と当日の動き
―遠隔（リモート）での通訳の場合 ―

　遠隔通訳（リモート通訳）の案件を受けた場合、仕事の当日までに行う事前の調べ物や勉強の方法は、現場に出向く通訳（現場通訳、オンサイト通訳）と基本的には変わりません。

受注時に確認すること

　遠隔通訳案件を受ける際、現場通訳の案件と同様に、日時、内容、逐次通訳なのか、同時通訳なのかを確認します。さらに遠隔通訳の場合には、自宅からのリモートで構わないのか、それとも通訳エージェントの遠隔通訳用のスペースで行うのか、もしくはクライアントの会議室などに出向いて行うのか、遠隔通訳をする場所も確認する必要があります。

遠隔通訳用の環境を整える

　遠隔通訳を自宅で行う場合には、自宅に遠隔通訳用の環境を整備しておく必要があります。遠隔通訳は案件によって遠隔同時通訳（RSI）プラットフォーム（遠隔同時通訳専用のツール）を利用する場合と、一般的なWeb会議システム（Zoomなど）を利用する場合があります。システムにより操作方法などは異なりますが、通訳者側が揃えておくべきデバイスやツール、環境などは基本的には変わりません。スペックの高いパソコン、高機能のマイクやイヤホン、タブレット、そして騒音のない環境などを整える必要があります。ただし、遠隔同時通訳プラットフォームの場合、ツールによって細かい指定（パソコンのスペックなど）があるので注意が必要です。

　また自宅での遠隔通訳の場合、通訳エージェントのコーディネーターと接続環境の確認をしたり、パートナー通訳者との打ち合わせ（交代のタイ

ミングや手法、通訳者同士の連絡手段など）も必要になります。仕事の当日ではなく、前日までにすませておきます（遠隔通訳の事前準備や環境整備の詳細は152ページ）。

遠隔通訳の当日の動き

　自宅から通訳者2名体制で遠隔同時通訳をする案件を受けた場合の、当日の業務の流れの一例を紹介します。

8時20分　通訳者ログイン

あらかじめ送られてきている今回の会議用のURLにログインします。ソース言語とターゲット言語の設定をし、チャット上でパートナー通訳者と通訳機材担当のエンジニアに挨拶をします。

8時25分　マイクテスト、通信テスト

エンジニアからの指示に従い、マイクテストを実施します。フロアからの音声、パートナー通訳者の音声が聞こえるか、各言語の通訳チャンネルでテストを行い、参加者に通訳者の声が聞こえるかを確認します。

8時50分　通訳者スタンバイ

9時00分　会議スタート

同時通訳の場合、15分を目安に通訳者が交代するのは、遠隔通訳も現場通訳も同じです。ただ、遠隔ではその場にパートナー通訳者がいないので、交代と合図の方法を必ず事前に決めておきます。

12時00分　休憩
13時00分　午後の部スタート
15時00分　会議終了

いきなり退出する（通信を切る）のではなく、会議のホストや機材担当が会議画面を切ってから退出しましょう。

通訳者の仕事のマナーを知る

　通訳者の仕事は、「話し手の意図を目的言語に効果的に訳す」ことです。しかし、単に言葉を訳すことだけが通訳者の業務ではありません。優れた通訳技術や深い専門知識を身につけていても、ビジネスパーソンとして求められる一般常識や、場に応じたマナーが備わっていなければプロとはいえません。ここでは、フリーランス通訳者として必要なマナーをシーン別に見ていきましょう。

＊94〜104ページ　執筆協力／会議通訳者　菱田奈津紀さん（プロフィールは188ページ）

シーン別マナー・受注時

　通訳エージェントまたは直接契約のクライアントから業務を依頼されたら、まずは「日時、業務内容、通訳形態、資料の有無、通訳者の人数」などを確認します。業務依頼のメールには、できるだけ早く返信し、引き受けられるかをすぐに回答できない場合は、いつまでに回答できるかを伝えることが大切です。スケジュールが合わないなど、何らかの理由で引き受けられないときも、その旨をすぐに返信することが、エージェントやクライアントとの信頼関係につながります。

　通訳エージェント経由の依頼であれば、通訳者のレベルや経験に合った仕事が来ることがほとんどです。依頼内容をよく確認し、不安な点はエージェントの担当者に相談します。自分のレベルで対応できる案件と、少し背伸びをして挑戦する案件とをうまく組み合わせていくことも、レベルアップの秘訣です。しかし不安をそのままにして、直前になって「自分の実力では不安」と役を降りることは、重大なマナー違反です。

　一度引き受けた仕事は、準備も含めて真摯に取り組み、完遂することがプロの姿勢です。そのためには自分のスケジュールを整理し、業務を詰め

込みすぎないようにすることが大切です。

シーン別マナー・準備時

業務内容をよく確認します。現場での通訳（オンサイト通訳）の場合は、通訳形態などに合わせて必要な持ち物を準備し、会場までの交通手段を調べます。遠隔通訳の場合は、プラットフォームの種類など遠隔（リモート）で通訳をする環境に合わせて、必要な機器やツールを準備します。

事前に受け取った資料の取り扱いには、細心の注意が必要です。カフェや電車など人目につく場所で紙の資料を広げたり、パソコンの画面に機密情報を映したりすることのないようにします。また、資料をデータでやり取りするパソコンやタブレット、スマホなどのセキュリティも万全にしておきましょう。

シーン別マナー・現場に出向く通訳（オンサイト）時

2020年の新型コロナウイルスの流行以降、遠隔（リモート）通訳が増えましたが、従来の定番は通訳現場に出向く通訳（現場通訳、オンサイト通訳）です。国際会議の同時通訳ブースやレセプション会場、クライアント企業の会議室などで通訳を行います。クライアントと直接打ち合わせができることも多く、パートナー通訳者と同じ空間で通訳を行います。

●現場に到着―挨拶と確認

会場に到着したら、まずはクライアントに挨拶をします。通訳に適した環境を作ってもらうためにも最初の印象が肝心です。現場では、最新の資料を準備してもらう、周囲の雑音を控えてもらうなど、クライアントにお願いすることもあれば、次の予定があるため急なオーバータイム（残業）の依頼が受けられないなど、断らなければならないこともあります。そのような場合も、相手の状況を考慮して伝えます。

また多くの通訳者が、エージェントのものや通訳者個人のものなど、数種類の名刺を持っています。名刺交換の際、相手がエージェント経由のク

ライアントであれば、該当エージェントの名刺を出し、異なるエージェントの名刺や個人の名刺を出すことのないよう気をつけます。

●通訳中―聞き手を意識した発声や言葉選び

聞き手を意識した発声や話し方も重要です。力が入った焦った話し方や、強いくせのある抑揚、自信のない聞き取りづらい声だと、聴衆も疲れてしまいます。現場に出始めた頃は、聞こえたものは全部訳さなければと力が入りがちですが、自分本位の訳は避け、場や話者に合わせた言葉選びや、聞き手の耳になじむペースを心がけます。適切な声量やハリのある声は、マイクにもきれいに乗ります。わかりやすい抑揚やくせのない耳なじみのよい話し方を日頃からトレーニングしておくことで、本番でも自然とその成果が出るようになります。

●通訳中―仲間への配慮

同時通訳機材を担当してくれる音響エンジニアへの挨拶、パートナー通訳者への配慮や連携も大切です。同時通訳機材を3人の通訳者で使用するときは、自分の番が終わったら席を立ちますが、その際、次の人のために音量を下げておくと親切です。また、簡易同時通訳機を各通訳者が持って交代するときは、2台同時にオンになることによるノイズの発生を防ぐために、自分の送信機の電源が切れていることを確認してから交代します。

●一般的なビジネスマナーも大切

車の座席、会議室や会食時の上座下座の位置など、一般的なビジネスマナーとして覚えておくべきこともあります。VIPの通訳として帯同しているのに、間違ってVIPの席に座ってしまう…などということはないと思いますが、一度ビジネスマナーの本に目を通しておくと、基本的な知識を得ることができるのでおすすめです。自分の振る舞い方に自信がなく、おどおどしてしまうと、本来の通訳業務に集中することができません。黒子のイメージの通訳者ですが、その立ち居振る舞いは意外と見られています。業務終了後は同通ブース内や席周りを片づけ、イスを元に戻し、現場のゴミ箱に資料や新聞などを捨てないことも大切なマナーです。

●立ち居振る舞いにも気を配る

　立食パーティーなどにおける要人の通訳は、通訳者の立ち居振る舞いが重要な場面の一つです。英語が少し話せる方の場合、基本的には自分で会話をしたいので、難しいところだけ通訳者に入ってほしいというケースもあります。そのような場面では、会話の内容がぎりぎり聞こえるくらいの距離で、会話の邪魔にならない斜め後ろなどに立ち、「お願い」と言われたり、会話が滞っている際にサッと入れるくらいの対応ができるとよいと思います。要人の後ろには秘書が付いていることも多いため、判断に迷う場合には要人の好みや性格を知り尽くした秘書の指示を仰ぐのも一つの方法です。会話の相手にも通訳者が付いている場合、相手の発言は相手の通訳者が、自分が付いている方の発言は自分が訳します。

●通訳以外のお願いごとにも親切な対応を

　クライアントから「集合写真を撮りたいのでシャッターを押していただけませんか？」「外国人スタッフにランチのメニューを説明していただけませんか？」と、本来の通訳業務以外のことをお願いされる場面もあります。通訳業務の変更（延長など）は通訳エージェントへの相談が必要ですが、通訳業務以外の簡単なことは、可能な範囲で快く親切にお手伝いできるほうが、クライアントにも喜ばれ、結果的に良い関係を築けるのではないでしょうか。

通訳者の服装と身だしなみ

　ビジネスシーンで最もフォーマルに見えるのは、ダークカラーのスーツです。華美なものや露出が多いもの、カジュアルすぎる服装はクレームの対象になることがあります。企業のVIPに付いて業界交流の会合に出席したら、参加者は全員ダークカラーのスーツで白いスーツを着ていた通訳者が目立ってしまった…などということは避けたいものです。また香水は、クライアントの評価対象となるだけでなく、通訳ブースに入る際はパートナー通訳者へも影響があるため、使用しないのがベストです。

　業務の際に、靴を脱いだり履き替えたりするシーンもありますので、脱

ぎやすいものがよいでしょう。場所によっては、ヒール禁止など具体的に指定されることもあります。会場内を長時間歩くこともあるので、動きやすい靴がおすすめです。A4サイズの書類やその他の持ち物が入るバッグも必要です。

　スカートの着用にも注意が必要です。クライアントの倉庫での業務の際、通訳者がスカートを履いてきたため、倉庫内の階段を登った場所での通訳が一切できなかったといったケースもあります。また、スカートでは入れない工場での通訳もあります。

　レセプションやパーティーなどに同席する際は、テーブルがない場所や、立食で歩き回って通訳することもあります。フォーマルな場で、大きなバッグを持ち、資料を抱えて歩き回ると目立ってしまいます。コンパクトなメモ帳とペン、貴重品を持ち歩くためのハンドバッグを準備するなど、場に合わせた装いを心がけましょう。

＜通訳者の身だしなみ例＞

女性はメイクやヘアも派手過ぎず、清潔感を重視する。

男性も女性も清潔感のあるスーツスタイルが基本。派手なもの、ラフなもの、奇抜なファッションは避ける。

A4サイズの書類や多くの持ち物が入るバックが必要。

女性の場合、例えば工場視察の通訳の際はパンツスタイル、レセプション時にはすこし柔らかい雰囲気のスカートにするなど、場に合わせた装いを。

国際会議などの現場では移動も多いので、足元は動きやすい靴で。高すぎるヒールはNG。

通訳現場で役立つグッズ

　なにかと持ち物が多く、大きなバッグを持って現場に入ります。同じものを使う人も多いので、シールを貼るなど自分の持ち物に目印をつけておく通訳者もいます。主な持ち物は以下の通りです。

・**イヤホン・オーディオ変換プラグ**／ほとんどの通訳者がお気に入りのイヤホンを現場に持ち込みます。変換プラグは、3.5mmのイヤホンを同時通訳機器やアンプの標準ジャックにつなげる際に使用します。

・**タイマー**／パートナー通訳者と交代するときに使用します。通訳中に音が出ないよう、サイレントモードのあるものが使いやすく、暗闇で光るタイプが便利です。

・**文房具**／ペンはインクの残りが見えると安心です。予備のペンも準備しておきます。資料の書き込みや整理に、複数色が1本になったペンや蛍光ペン、クリップ、ポストイット、プログラムなどをブース内に貼るためのマスキングテープなども重宝します。

・**スマートフォン**／オフラインで使える辞書アプリを入れておくと電子辞書が必要ありません。臨時のタイマー代わりにも使えます。検索や連絡ツール、タブレットと同期して資料のバックアップにもなります。

・**ノートPC・タブレット**／データの資料を確認します。書き込むためのスタイラスペンや電源も忘れずに。

・**水、非常食**／長時間の通訳に備えます。水は必需品です。

・**オペラグラス**／同通ブースから遠くに映し出された資料を見る際に役立ちます。

通訳者の仕事のマナー 遠隔通訳時

　遠隔（リモート）通訳は、クライアントの会議室やエージェントの遠隔同時通訳スペース、イベント会場、通訳者の自宅など、さまざまな場所から行われます。会場や会議室に出向いて行う遠隔通訳の際に気を配るべきマナーは、前述の現場（オンサイト）通訳と共通する点も多くあります。ここでは、Web会議システム（Zoomなど）や遠隔同時通訳（RSI）プラットフォーム（Interprefyなど）を使って自宅から行う遠隔通訳を例に、通訳者が気をつけるべき点について見ていきましょう（遠隔通訳についての詳細は146ページ）。

Web会議システムに入る

　エージェントやクライアントから、当日の通訳で使用するWeb会議システムや遠隔同時通訳プラットフォームのリンクのURLが事前に送られるので、指定された時間にそのURLにアクセスします。あまり早すぎることなく、会議開始の30分から15分くらい前にアクセス（入室）するのが一般的です。

　入室したらクライアントの担当者に挨拶し、通訳者の音声が届いているか、音質に問題がないかを確認します。複数回線を同時に使う場合は、すべての回線で音声確認を行います。中には、当日より前に接続テストをしたいというリクエストがクライアントから入ることもあります。パートナー通訳者とも音声を確認し、可能な場合は交代の方法などをその場で最終確認します。プラットフォーム上の通訳者の名前は、「Interpreter ○○」などに設定するとよいでしょう。通訳者であることをわかりやすくすることで、クライアントによる通訳者の識別や、パートナー通訳者とのチャットでのやり取りがスムーズになります。

テクニカルトラブルへの備え

　遠隔通訳では、Web会議システムが突然落ちてしまう、通訳音声が届かない、自分のデバイスの不具合など、予期せぬトラブルが発生することもあります。そのような緊急時の連絡や対応の方法も、クライアント担当者やパートナー通訳者と事前に確認しておくべき重要な点です。通訳者側ではなく、クライアント側にトラブルが発生することもあります。クライアントが、Zoomなどの同時通訳機能の使い方をよく理解していないこともあります。そのような場合に、オンライン会議での通訳の経験を重ねた通訳者側が積極的にサポートする姿勢はクライアントに喜ばれます。

パートナー通訳者との連携

　自宅からの遠隔通訳では、ビデオ通話などで接続しない限り、パートナー通訳者の顔が見えず、アイコンタクトやジェスチャーによる合図ができないことが多いため、細かい点は本番前に打ち合わせておきます。交代の方法もその一つです。遠隔通訳での交代には、いくつか方法があります。共通のクラウドタイマーを使う方法では、カウントアップとカウントダウンのどちらにするかを含め、アプリの操作などを確認します。また交代時刻を決めて、通訳をしている人のマイクがミュートになったのを合図に交代する方法もあります。その他にも、各自所有のタイマーを使用して、交代時にLINEなどで合図を出す方法もあります。場に合わせた交代方法や、エージェントからの指示、通訳者それぞれの好みもあるため、事前に確認し合ってお互いが混乱しない方法を決めておくことが大切です。

　通訳者のマイクミュートの仕方にも違いがあります。プラットフォーム上のミュートボタンを使うと、パートナー通訳者にもミュートにしていることがわかりますが、パソコンのマイク側のスイッチでミュートにすると、プラットフォーム上でミュートにしていることがわからないこともあります。マイク側のミュートは手元ですぐに操作ができるため、とても便利ですが、相手にミュートしていることがわからない場合には、ひと言事前に

伝えておくと親切です。

　通訳者同士で別回線をつなぐために、パートナー通訳者とLINEなどの連絡先を事前に交換することがあります。直接交換する場合も、エージェントを介する場合も、相手の個人情報の取り扱いには十分注意しましょう。

ビデオと音声ミュート

　通訳中の通訳者側のビデオは終始オフにするケースが多くなります。本番前の挨拶でビデオをオンにした場合も、本番が開始したらビデオをオフにするのが一般的です。通訳者の顔が見える必要がないということもありますが、ビデオをオフにすることで、ネットワーク帯域の使用を節約できるため、回線がより安定します。意外と忘れがちなのが、自分が通訳する際のアンミュートと、パートナー通訳者が通訳する際のミュートです。アンミュートを忘れると通訳音声が届かないと指摘が入ります。一方、自分の番が終わって交代する際にミュートを忘れてしまうと、自分の環境音が雑音となってしまいます。通訳中の紙をめくる音や、エアコンの音、呼吸音なども雑音になることがあるため注意しましょう。インターフォンや電話の音は事前に切っておきます。

遠隔通訳に必要なデバイス類

　遠隔（リモート）通訳で使うツールには、デバイスからケーブルまでさまざまな種類があります。自分がすでに持っているものや自宅の環境を踏まえて、いろいろな遠隔通訳ニーズに応えられるよう、ITリテラシーを高めていくことも重要です。

・パソコン／遠隔通訳には、ある程度スペックの高いパソコンが必要です。遠隔同時通訳（RSI）プラットフォームを使用する際は、スペックに明確な要件があります。

・タブレット／遠隔通訳用デバイスとしても、データ資料閲覧用デバイスとしても重宝します。資料に書き込んだり、メモパッドにしたり、単語リストを閲覧するなど用途は多岐にわたります。

・**スマートフォン**／遠隔通訳デバイスとしても十分使えますし、バックアップデバイスにもなります。IR通訳など電話回線を使う案件は、これ1台で対応できます。スマホスタンドがあると便利です。

・**外付けディスプレイ**／ノートパソコンでもデュアルディスプレイにすることで、使い勝手が広がります。片方のディスプレイで会議に参加し、もう片方で検索や資料閲覧、クラウドタイマーの確認などができます。

・**ヘッドセット**／音がクリアに聞こえることはもちろん、音漏れがないことや、圧迫が強すぎないことも大事です。長時間の使用になるので、自分に合ったヘッドセットを使いましょう。ミュートや音量を操作できるコントローラー付きが便利です。

ヘッドセット（USB）（写真左）は、主に同時通訳用に使用。手元にミュート、音量調整ボタンのコントローラーがあるので、通訳中の操作もスムーズ。マイク（USB）（右奥）は、主に逐次通訳用に使用。通訳では単一指向性で使用するが、無指向性との切り替えも可能。声が明瞭に聞こえるとクライアントにも好評。イヤホン（3.5mmオーディオプラグ）（手前）は以前から同時通訳ブースで愛用していたものマイクとセットで使用し、左のヘッドセットのバックアップとして客先にも持参。（写真提供／会議通訳者　菱田奈津紀さん）

・**イヤホン＆マイク**／同時通訳ブースで使い慣れたイヤホンを自宅の遠隔通訳で使ったり、ミキサーとつなぐことも可能です。マイクは単一指向性のものを選びます。ヘッドセット同様、ミュートの操作が手元でできるマイクがおすすめです。Bluetoothの使用は避け、有線接続のものを使いましょう。

・**ケーブル類**／使用するデバイスやプラットフォームによって、さまざまな変換ケーブルが必要になります。例えば、3.5mmのオーディオプラグからUSBやLightningへの変換などです。他にもオーディオの延長ケーブルやスプリッター、音量調節機能付きケーブルも便利です。iPhoneやiPadを遠隔通訳で長時間使うときは、充電しながらイヤホンマイクを接続できる変換ケーブルが役に立ちます。

業務終了後

　当日発生したトラブルや、良かった点、次回に向けての改善提案を、通訳エージェントやクライアントなど直接の依頼主に報告します。同時にフィードバックをもらえるとよいと思います。エージェントやクライアントは、同じ仕事に一緒に取り組むパートナーでもあります。必要なことをきちんと伝えると同時に、感謝や協力する気持ちを表現することが、さらなる信頼関係につながります。言いにくいことを伝えるときも、クッション言葉を活用し、日頃のお礼をセットで伝えることで、良いコミュニケーションを維持していきましょう。

マナーは多様化している

　時代の移り変わりとともに、通訳環境も変化してきました。現場通訳と遠隔通訳が混在することで、通訳者の役割やマナーも多様化しています。通訳者としてどう振る舞うべきか判断に迷ったときは、顧客志向で考えることが大切です。

　講演会や学会などで同時通訳ブースから通訳を届けるとき、通訳者は黒子になりきります。一方、企業のディスカッションなどでは、通訳者が少し積極的に交通整理をしていくことで、進行がスムーズになることもあります。オンライン会議では、遠隔通訳環境の経験を積んでいる通訳者が、クライアントの担当者やホストをフォローできることもあります。通訳技術が優れているだけでなく、スムーズな進行や場の成功を意識して、クライアントに必要とされる通訳者でありたいものです。

通訳者の料金交渉

通訳者がフリーランスになると、社内通訳者とは異なり、自らの料金を設定して、取引先と交渉していく必要があります。料金交渉の仕方や方法について考えてみましょう。

＊105～110ページ　執筆協力／会議通訳者　山本みどりさん（プロフィールは188ページ）

利益を確保することの大切さ

フリーランスになるということは、事業者として能動的に経営判断をしていくということです。自分が提供するサービスの価値を自分で決めるということでもあります。その際、いくら稼がなくてはいけないかを考える必要があります。必要な金額を考える場合、項目別に分けると、「生活費＋社会保障＋事業経費＋適度な利益」ということになります。適度な利益がなければ、継続的な自己投資を行って、よりよい通訳サービスを提供することができません。つまり適度な利益がなければ、長期的に顧客に貢献できないということなのです。

また一般的に、会社員と同等の手取りを確保するためには、会社員の年収の3割～5割増で稼がなければいけないといわれています。フリーランスの場合は、事業税や所得税などの税金のほかに、社会保障や事業経費のコストがかかり、有給休暇もないためです。

日本の通訳エージェントとの料金交渉

●登録時

フリーランスになったばかりという場合は、最初に大手の通訳エージェントに登録することが多く、先方の言うままに登録してしまうかもしれま

せん。しかし、最初に決まったレートを交渉で上げていくのはなかなか大変なことです。経歴にもよりますが、一般的にスタートレートはどの通訳エージェントであってもそれほど高くありません。実績を積んだ後にレート交渉をすることになる手間を考えると、初期は登録先を増やしすぎないほうがいいでしょう。最初がとても肝心です。

また面接時には、先方から希望のレートを聞かれます。それに備えて、通訳会社が通訳者に支払う料金の相場を調べて、自分の経歴に合った希望レートを伝えられるようにしておきます（料金相場の詳細は131ページ）。その際、高すぎると仕事の依頼が来ませんし、低すぎると自分の首を絞めることになってしまいます。自分が納得できるレートを事前によく検討しておくことが大切です。また、通訳エージェント側で、経験年数などにより最初のレートが固定されていて、自分の希望レートが通らないこともあります。その場合、通訳エージェント側のレートを受け入れるのか否か、それも自分の判断です。さまざまな可能性に備えておきたいところです。

●レートアップ時

登録から数年がたち、経験を積んだら、レートアップの交渉も行っていきます。指名案件を継続的に受注できるようになったり、シンポジウムや国際会議の実績を積んだり、ベテラン通訳者と一緒にブースに入ることが増えた、といったことは強力な材料になります。通訳者側からレートアップを打診した場合、他社でのレートを聞かれることが多いので答えられるようにしておきましょう。

また、通訳エージェントによっては、交渉の結果、特定の分野に対して別レートを設定してくれることもあります。特に強みとする分野があり、そこで確実に実績を残しているのであれば、そのような交渉を持ちかけてみる価値はあります。

通訳実務経験者として新しいエージェントに登録する際は、すでに登録済みの通訳者から紹介してもらい、同等の能力があることを口添えしてもらえれば有利になります。先輩から推薦してもらうのも有効です。また、繁忙期に特定の案件のために通訳者を探している場合もあります。そのようなタイミングで紹介で登録ができると、そのスムーズに稼働できるでしょう。

ブティック型エージェントとの料金交渉

　ブティック型エージェントとは、一人から数人のスタッフで運営をしている小規模のエージェントのことを指します。営業力が限られる分、一つのクライアントとの取引関係が長く続くことが多いので、結果として決まった分野を扱っていることが多いです。ブティック型エージェントであれば、大手よりも相対的に高めのレートで登録できる可能性が高くなります。この場合も、高レートで登録するには、相場についてリサーチを行い、他の通訳者に紹介してもらうのが効果的です。

　大手とブティック型のエージェントでは、体制や料金にも違いがあります。大手エージェントは営業力があり、獲得する案件数が多い一方で、通訳コーディネーター、アサイン担当者などスタッフ数も多く、その分の人件費などの固定費がかかってくるため、通訳者に対するレートは低くなる傾向があります。一方、ブティック型エージェントの場合、スタッフが少ないため人件費が抑えられ、通訳レートは高めになります。いったんレギュラー通訳者としての地位を確立すれば、同じ案件にはほぼ繰り返しアサインしてもらえるでしょう。また、少人数なので同じコーディネーターと長くやり取りすることになり、信頼関係も築きやすいのが特徴です。

海外エージェントとの料金交渉

　海外の通訳エージェントの場合、案件ごとにレートを聞かれることがよくあります。金額は日本の通訳エージェントより相対的に高めになっているようです。また海外の新興エージェントの中には、やり取りの手段がEメールではなく、メッセージアプリ経由の場合もあります。案件の内容、時間がすでにわかっているのであれば、誤解を避けるため、レートだけでなく、その案件に対する見積りを提出するのがよいでしょう。

　また、必ずPO（Purchase Order）を発行してもらうようにしましょう。POは、エージェントから通訳者への発注を正式に書面にしたもので、POがないと、最悪のシナリオとして、報酬が不払いになった場合に不利な立

場に置かれてしまいます。POが発行されない限り仕事はできない、という前提でやり取りをするようにしましょう。POに限らず、海外エージェントとのやり取りでは、こちらから条件をすべて明示しておくことが大切です。

入金方法は必ず事前に確認しておきます。海外から日本の銀行に送金してもらう場合は、受け取るのにも手数料がかかります。仕向、被仕向の両方の手数料を通訳者が負担すると、それなりの額になることもあります。Paypalを指定してくるエージェントもありますが、Paypalで外貨で送られたものを円で受け取るのにも手数料がかかります。グローバルな大手エージェントの場合は、手数料負担は固定で、交渉の余地がないケースもあります。料金に関することは事前にしっかり確認し、手数料を先方負担にするべく交渉するか、諸々の手数料を反映したレート設定にしておくことが重要です。

ソースクライアントとの直接取引での交渉

仲介する会社（通訳エージェント）を間に挟まず、通訳を必要とするソースクライアントと直接取引（直取引）をすることもあります。SNSが盛んになった昨今では、以前よりも直接取引の可能性が広がりました。

直接取引の場合、エージェント経由の場合は担当者が担ってくれる業務を通訳者自身が行う必要があります。具体的には、営業活動、潜在顧客とのやり取り、業務後の請求書発行、料金回収などです。通訳そのものの報酬に加えて、これらの業務にかかるコストを通訳料金に含めることが必要です。よく、「ソースクライアントとの直取引であれば、高い報酬が得られる」といわれますが、それは通訳以外の作業も通訳者が引き受けているからであり、直接取引に伴うリスクもあることを認識しておきましょう。特に顧客からの通訳料金の回収がいちばん大きなリスクになります。仕事を受ける際は、取引条件を契約書などの形でしっかりと交わしておくことが重要です。

ソースクライアントから問い合わせが来たら、すぐに返信できるように、あらかじめ提案書や見積もりのひな型を準備しておきましょう。また、料金設定もあらかじめ考えておきます。提案書は、そのまま契約書として使

える形のものを準備しておくと便利です。

　また、取引条件を明確に提示します。例えば、通訳料金は「終日」「半日」の単位で設定することが国内では標準的であることを説明します。ただし、遠隔通訳の増加で、以前よりも案件が短時間になっていることなどを踏まえて、価格設定にも工夫が必要かもしれません。出張時の移動費、移動拘束費や日当の取り扱い、支払期日や振込手数料の負担方法など、できるだけ詳細に決めておきましょう。

　直接取引の場合は、通訳者自身が事業者としてまず価格情報（自分のレート）を出す必要があり、そこからクライアントのニーズを盛り込んでいく進め方になります。

レートの決め方のその他のポイント

　レートは、その時々の状況に応じて柔軟に考えることが重要です。例えば、一定の期限を決めて安くても戦略的に仕事を引き受けることで、未経験の分野で実績を積むこともできます。

　また、自分の「相場」を知ることは必要ですが、「相場」にとらわれすぎないことも大切です。エージェントの場合、発注しやすいボリュームゾーンの価格帯があり、ソースクライアントの場合、予算には限りがあります。そうしたことは個別の交渉をしてみないとわからないものです。

　また、コロナ禍以降、遠隔（リモート）通訳が定着したため、通訳案件の短時間化が進み（遠隔はほとんどが半日案件、ウェビナーは2時間30分が一般的）、同時にレートも低下傾向にあるようです。さらにレートだけでなく、従来なら複数が基本の同時通訳案件でも、「短時間なので1名で」という依頼が来るなど、仕様面での通訳者の負担増、実質的な低レート化が起こってきています。海外エージェントからの問い合わせでは、「半日」や「終日」という単位ではなく、時給ベースのものもあります。

　低レート案件や時給案件を受けるかどうかは、事業者としての経営判断になります。自分がキャリアのどの位置にいるのか、求めているのは実績なのかお金なのか、提示されたレートで自分が目標とする額を稼げるのかなど、さまざまな角度から検討する必要があります。自分の立ち位置やめ

ざす方向と照らし合わせて、随時意思決定をしていく必要があるでしょう。

レート交渉は常に意識しておく

　レート交渉の大原則として、既存顧客に働きかけるより、新規顧客に対して高めのレートを提示して交渉していくほうが、自分の希望に近いレートで合意できる可能性が高くなります。

　フリーランス＝経営者として、自分で仕事のポートフォリオを組んで更新していくという意識が重要です。何の保障もないフリーランスの世界ですから、安定して稼働できるようになったからといって安心して胡坐をかくのではなく、通訳スキルとマーケティングの面の両方で、自分の価値を上げる努力を続けましょう。

　10年前であれば、通訳者の取引相手は大部分が日本の通訳エージェントでした。しかしLinkedInやTwitter、YouTubeなどの普及によって、通訳者が潜在顧客に見つけてもらい、直接つながることができるようになりました。通訳エージェント経由での稼働がメインでも、自分のWebサイトを持つことは珍しいことではありません。遠隔通訳が増えたことで、業界全体での通訳料金の低下傾向は確かに存在しますが、一方で通訳者にとっては海外エージェントやソースクライアントとの仕事がやりやすい環境になってきました。通訳者自身が能動的に経営判断を行い、仕事のポートフォリオを拡充していけば、きっと成功していけると思います。

実践編

仕事の
増やし方&稼ぎ方

通訳者のランクの目安

　通訳者としての仕事の始め方、進め方がわかったところで、次にめざすのはやはり仕事を増やしていくことでしょう。さらには、キャリアアップしていくことや「稼ぐこと」にも目が向いてくるでしょう。

　フリーランスが多い通訳者にとって、稼ぐために必要な条件は、「仕事量を増やす」ことと「報酬（料金）単価のアップ」です。それを実現するには、とにかく経験を積んでキャリアアップしていかねばなりません。

　Part4では、通訳者としてキャリアアップをし、仕事を増やして長く続けていくための方法について考えていきましょう。

ランクによって仕事も異なる

　キャリアアップをめざすためにも、まずは「通訳者のランク」について知っておきましょう。駆け出しの通訳者と、10年選手の通訳者の受ける仕事は異なります。通訳エージェントの多くは通訳者を、技術のレベルに応じてランク（レベル）分けしています（エージェントによりますが3〜6ランク程度）。通訳者のランクによって依頼される仕事の内容は異なってきます。新人はアテンド通訳などからスタートし、商談・社内会議などで逐次通訳を務めつつ、徐々にレベルを上げて、最終的に国際会議の同時通訳の仕事などまで上り詰めます。

　このように通訳者とは、常にランクアップ、キャリアアップをしていく必要がある職種なのです。キャリアを積むためには、どのような現場でも全力で取り組み、通訳実績として残していくしかないのです。

　右ページに、大まかな通訳者のレベル分けを紹介しておきます。

＜通訳者のレベルと仕事の内容の例＞

	受ける仕事のタイプ	仕事例
LEVEL1 **入門クラス** 逐次通訳が可能なレベル。通訳実務経験は乏しい	通訳というより、語学力を必要とする仕事からスタート。派遣会社や通訳スクールの紹介などで、アテンド通訳や会議スタッフなどの仕事を単発で受ける	●アテンド通訳（訪日外国人の送迎や、目的地での簡単な通訳） ●国際会議の語学スタッフ（会議場の受付、クローク、インフォメーションなどで対応） ……など
LEVEL2 **新人クラス** 通訳経験2〜3年程度。逐次通訳が安定してできる	接客を伴う通訳が多い。技術に加え、ホスピタリティが求められる。ほとんどが逐次通訳	●展示会や見本市のブース付通訳 ●レセプションでの通訳 ●国際会議のランチやディナーでの通訳 ●視察通訳（外国人の企業訪問や工場見学時） ●社内通訳 ……など
LEVEL3 **一般通訳クラス** フリーランス経験2〜3年。逐次通訳が安定してでき、同通・ウィスパリングも可能	通訳技術のみを提供する仕事が増加。逐次のほかウィスパリングも	●セミナーや研修での通訳 ●社内会議での通訳（企業内のミーティング） ●商談通訳（ビジネスの交渉の場での通訳） ……など
LEVEL4 **中堅クラス** フリーランス経験5年以上。一般通訳で経験を積み、安定した逐次の力があり、同通も可	ほぼ通訳技術のみを提供。専門知識が必要とされる仕事も増加	●VIP付き通訳（内容にかかわらずVIPの場合は、ベテランが務める） ●記者会見の通訳（逐次が多いが、同時通訳の場合も） ●IRロードショー通訳（投資家への説明時の通訳） ●インタビューの通訳 ……など
LEVEL5 **トップクラス** フリーランス経験10年以上。同通・逐次いずれも安定して、どんなジャンルもこなせる	大勢の人を前にして訳す仕事が多くなる。「会議通訳者」と呼ばれるように	●会議通訳（大小さまざまな国際会議での同時通訳） ●各種シンポジウム ●政府間協議の通訳 ……など

※上記はあくまで一例です。ランクの分け方は通訳エージェントによっても異なります。

通訳者の キャリアステップ

　通訳者をめざしてスクールに通い、派遣スタッフから仕事をスタート。将来的にはフリーランスになり、そして会議通訳者としてランクアップしたい……。そのようなキャリアプランを描く人も多いでしょう。通訳者のキャリアアップは、どのようにしたら実現するのでしょうか？

通訳者のキャリアステップ・モデルルート

　通訳の仕事の始め方はさまざまですし、デビュー後、通訳者としてのキャリアをどのように築いていくかも個人差があります。通訳者のキャリア形成については、116ページから詳しく紹介しますが、その前に、比較的多くの通訳者が通ってきた、経験してきたモデルルート、王道ルートを紹介しましょう。

①働きながら通訳スクールに通う
「いつかは通訳者に」と通訳者養成スクールの門をたたく。一般企業で営業事務をしながら週末にスクールに通うのは課題も多くて大変……。

②人材派遣会社に登録し、通訳関連の仕事を探す
通訳スクールは入門科から基礎科へ進級。逐次通訳には自信が持てるようになったので少しでも通訳の仕事をしてみたいと、思い切って会社を退職。人材派遣会社に登録して、「通訳もできる秘書」など通訳関連の仕事からスタート。

③通訳スクールの紹介で通訳専業の「社内通訳」に

3ヵ月契約の派遣スタッフで通訳業務の経験を少しずつ積む。通訳スクールでたまたま大手外資系企業の「社内通訳」の仕事を発見。契約社員として採用される。社内会議の通訳をバリバリこなす。

④社内通訳者を経て通訳エージェントに登録

社内通訳者を1年半ほど経験。そろそろ業界の専門用語にも慣れ、会社内の通訳以外にもチャレンジしたいと思うように。通訳スクールも最上級クラスの同時通訳科まで進級したので、複数の通訳エージェント（通訳会社）に登録。

⑤フリーランスの通訳者として独立

社内通訳の契約が切れたところで、通訳スクールも無事卒業。これを機に、フリーランスとして独立することを決意。早速、通訳エージェントから仕事をもらうように。

⑥仕事をしながらランクアップをめざす

最初は商談通訳やアテンド、少人数の社内会議の逐次通訳やウィスパリングの依頼が多いが、どんな仕事も断らない！　地道に経験を積みながら、ランクアップをめざす。

⑦夢は会議通訳をこなすトップクラスの通訳者！

フリーになって3年。最近になって、ベテラン通訳者と組む形で同時通訳も経験した。夢は国際会議の同時通訳！

⑧名刺には"会議通訳"と！

フリーになって10年が過ぎた。仕事の7割は同時通訳の案件になり、名刺の肩書も「通訳」から「会議通訳」に変えた。得意分野もできて、通訳ブースに入るような大きな会議の仕事も任されるようになる。

キャリア形成を考える
─準備期から初期─

　大手通訳者養成スクールで基本的なスキルを身につけて、社内通訳をしながらフリーランスをめざすというのが従来の王道のキャリアパスでした。しかし今は、通訳者になる道筋はさまざまです。スタート地点も登山ルートも選択肢が多く用意されており、自分に合ったルートを自由に選択できる時代です。通訳者のキャリア形成の可能性を知っておきましょう。

＊116〜129ページ　執筆協力／通訳者　仲田紀子さん（プロフィールは188ページ）

キャリア準備期
スキルを身につける段階

　通訳者のキャリア形成を流れで考えていくと、まずは基本的な通訳スキルを身につける段階、「キャリア準備期」があります。スキルの学び方としては、大きく分けて①通訳者養成スクールに通う、②大学・大学院で学ぶ、という2つの方法があります。

通訳者養成スクールで学び、仕事につなげる

　それぞれ利点がありますが、通訳者養成スクール（通訳スクール）には、長年培ってきたノウハウとメソッドがあり、実践的な練習をしっかりと積むことができます。また、フルタイムではないので仕事をしながら通うことが可能で、初心者レベルからプロ通訳者向けのワークショップまで、各段階に応じたコースがあるのも魅力的です。

　通訳スクールに通う最大のメリットとしては、人脈作りができるということと、講師やクラスメイト、もしくは通訳スクール経由で仕事を紹介し

てもらえる可能性があるという点です。通訳スクールで学ぶことで、最初の仕事のきっかけをつかみやすくなります。

　一方、大学院に通う利点としては、理論と実践の両面から学べること、研究者や教育者への道が開けることなどが挙げられます（通訳スキルの学び方や通訳スクールの詳細はPart2を参照）。

スクール以外のスキル形成法

　大手通訳者養成スクールや大学院以外にも、小規模の通訳スクールやベテラン通訳者が主宰する私塾などでも通訳技術を学ぶことができます。分野に特化した専門的な勉強会から、営業の指南をしてくれるワークショップまで、特色のあるイベントも開催され、通訳トレーニングを継続したい、というニーズにも対応しています。

　また、通訳スクールなどでの通訳訓練を受けずに現場でOJT（On the Job Training）を重ね、そのまま独り立ちしていく通訳者もいます。英語が堪能であるということを買われて、企業内で簡単な通訳業務を頼まれたりしているうちに、実地（OJT）で通訳の仕事を覚えて、スキルを習得していくというケースも実は少なくありません。

キャリア準備期に気をつけたいこと

　この時期は、この先の通訳者人生を始めるにあたって、いわば「土台作り」をする時期となります。通訳者養成スクールでもOJTでも、自分の思った通りのパフォーマンスがすぐにできるようになるわけではありません。思うように通訳ができないと「自分には向いていない」と思い込んで、通訳者になるのを早々に断念してしまう人も少なくありません。通訳という仕事が本当に自分に向いているのか向いていないのか、それがわかるのはまだまだ先です。未来への投資と捉えて、しっかりとした強固な土台作りに注力しましょう。

キャリア初期
経験を積む段階

　通訳者養成スクールやOJTで基本的な通訳スキルを身につけることができたら、次は実際の通訳現場で経験を積んでいく段階になります。キャリア初期では、一つでも多くの案件をこなすことで通訳経験を積みたいと思うものですが、未経験者にいきなり仕事を任せてくれるという通訳エージェントは少ないのが現実です。

働き方1　社内通訳者になる

　ある程度、コンスタントに通訳需要がある企業にとっては、常駐の通訳者を抱えることは通訳の質の安定とコストの面からも有益です。そのため、未経験者でも社内で通訳者を育てようとする企業もあり、その場合、初心者でも社内通訳者としての経験を積むことが可能です。正社員や派遣社員で雇用されるので、生活の安定も図れます。

●社内通訳者の仕事内容
　社内通訳者といってもさまざまな形態があります。特定の部署やプロジェクトチームに専属通訳として配属されることもあれば、バイリンガルアシスタントや役員付き専属通訳のように、特定の人の通訳を務めるポジションもあります。全社で共通の通訳チームを持つような大きな企業では、通訳者は異なる分野の会議を経験することになります。会計、財務、経営、技術開発、人事など、さまざまな社内会議に通訳者としてアサインされると、企業活動の基本的な仕組みを勉強できます。こうした知識は、ゆくゆくフリーランスになる際に生きてきます。

●通訳者としての基礎体力作りができる
　社内通訳では、幅広い分野の会議を数多く経験することによって、会議の交通整理、休憩の取り方、会議のための準備の仕方、用語集の作り方な

ど、通訳者に必要な基本的な「通訳体力」を身につけることができます。また大きなメリットの一つとして、専門的な知識を学ぶことができます。

　例えば、IT系の企業で社内通訳を務めていれば、プログラミングやプラットフォームの構築など日進月歩の技術に詳しくなり、自動車メーカーで勤務すれば、専門的な機械技術の知識を深めることができます。プロの通訳者は一つでもいいので、自分の専門分野を持っておくべきとされていますが、異なる業種の複数の企業で社内通訳者をすることで複数の得意な専門分野ができれば、フリーランスとして独り立ちする際には、大きな武器になります。

　一方で、社内通訳者には、個々の会社の規定やニーズに縛られてしまうという窮屈さもあります。また企業内、社員間の内々での会話を通訳することに慣れてしまい、外部のオーディエンスに対して通訳を行う機会が減るので、パフォーマンスに緊張感が失われてしまうといった面もあります。ただ、個人で動くことの多い通訳者にとっては、企業の一員として、チームワークの楽しさを味わうことができる貴重な場であるともいえます。通訳者にもチームの一員としての責任が求められるので、訳出さえ正確であればそれでよい、という「他人事」感がないのも、社内通訳の特徴です。

働き方2　フリーや兼業で単発の案件を受ける

　社内通訳者という道を選ばずに、最初からフリーランスになる、または別の仕事を持ちながら、副業として少しずつ通訳の案件を受けるという人もいます。その場合、人材派遣会社や通訳エージェントに登録し、案件を紹介してもらうことになりますが、通訳実務未経験者や駆け出しの通訳者が、いきなり活躍できる通訳現場、案件というのはそう多くはありません。そうなると、職務経歴書に書ける最初の数件の仕事をどのようにして得るべきかが、駆け出しの通訳者が直面する大きな課題となります。

　最初の仕事はどのように獲得していけばいいのでしょうか。

●未経験者でも可能性がある案件

　通訳実務未経験者でも、通訳エージェントや派遣会社から紹介してもらえる可能性が高いのが、スポーツ競技の国際大会やレセプションやセレモニーでのエスコート通訳、見本市でのブース通訳といったイベントの通訳です。こうしたイベントでは、短期間で一度に多くの通訳者が必要になり比較的難易度の低い通訳ポジションもあるため、初心者にも声がかかるチャンスが多くなります。

　例えば、スポーツ競技の国際大会では、チームや選手、審判、事務局などで通訳が必要とされます。さらにレセプションやセレモニーでは、司会、主催者や来賓の挨拶のスピーチ、パーティーでの出席者同士の歓談の際の通訳などのため、多くの通訳者が動員されます。国際見本市でも、海外の企業のブースだけでなく、海外の顧客を探している国内企業がブースに通訳者を常駐させています。

　また、知り合いや通訳スクールの友人や講師から仕事を紹介してもらうこともあります。実績のある通訳者からの紹介だと、クライアントからの信頼も得やすくなります。特に複数の通訳者が必要とされる案件で、紹介者である通訳者のパートナーとして一緒に現場に入る場合は、比較的スムーズに受け入れてもらえます。

●キャリア初期は逐次案件が多い

　通訳エージェントは、同時通訳の案件にいきなり初心者を入れることはしないので、この時期は逐次通訳の仕事が中心となります。イベントなどの通訳では、通訳業務だけではなくコーディネーター的な要素も求められることがあります。レセプションやセレモニーではVIPに付くこともあり、服装やマナーも重要な要素です。

　このような通訳では、大勢のオーディエンスの前に立ったり、時には演壇に上がってスピーチを通訳する機会もあり、大きなプレッシャーを感じることもあります。内心緊張していても、声や表情に出さない術を身につける必要もありますが、それもある程度、場数を踏まなければできることではありません。

　またフォーマルな場での訳出は、正確さだけでは十分ではありません。

言葉づかいや態度もその場にふさわしいものであることを心がけなければなりません。レセプションの挨拶でのスピーチなどで、「桜は満開のときよりも、散りゆくさまをめでるのが日本の文化であり……」などと急に言われても、焦らず、意訳でも品のある訳出ができるようにしたいものです。

　上記以外にも、NPOや自治体などで、外国人に対する相談窓口での通訳（行政通訳）や病院での通訳（医療通訳）、警察や入国管理局などでの通訳（司法通訳）など、外国人の生活に密着した、いわゆるコミュニティ通訳でも若手が活躍しています。社会に貢献するコミュニティ通訳に関心のある人であれば、比較的経験の浅い通訳者でも仕事をするチャンスはあるようです。

キャリア初期に気をつけたいこと

　大規模な国際会議の通訳などとは違い、キャリア初期に受ける仕事では、通訳する人との距離が近い案件もあります。そうした案件では、当日になって、クライアントから業務以外の仕事を直接頼まれることがよくあります。例えば、見本市での商談の通訳に行ったところ、ホテルやレストランの予約を取ってほしい、空港やホテルに迎えに行ってほしいなどコーディネーター的な業務を期待されることもあります。もし、通訳エージェントを通さずに、直接仕事を受けている場合には、追加の業務として交渉することも可能ですし、こうした突発的なお願いをどこまで受け入れるかはケースバイケースです。

　しかし、人材派遣会社や通訳エージェントから受けた案件の場合は、通訳者自身が追加の業務を判断することはできません。クライアントから当日になって、「会議中に議事録を取ってほしい」と言われたとしても、いったんは派遣会社やエージェントに報告して指示を仰ぐことが必要になります。契約で所掌（業務の範囲）が決められているので、クライアントからの要請であっても、すべて受けなければならないということはありません。

キャリア形成を考える —中期から後期—

キャリア準備期を経て通訳者デビューを果たし、キャリア初期は社内通訳者や派遣社員として経験を積んだとしましょう。さらなるキャリアアップをめざす中でターニングポイントになるのが、社内通訳者からフリーランスになるタイミング、そしてさらに、一般通訳から難易度の高い会議通訳へのステップアップです。キャリア中期から後期にかけて、どのような可能性があるのか知っておきましょう。

キャリア中期 社内通訳者からフリーランスへ

社内通訳者は一つの企業内でも部署を異動して違う分野の通訳を経験したり、通訳チームのリーダーとしてマネージメントを経験するようになるケースもあります。一方で、派遣社員として、1〜3年の周期で複数の企業の社内通訳者として働く人もいます。この場合、転職のたびに経験値が上がるので、エージェントに対して料金交渉をすることが可能です。

このように社内通訳者で何年か経験を積んでから、より高い報酬と自由度を求めてフリーランスに転身するというルートをたどる通訳者が多くいます。もちろん、最初からフリーランスとして単発の案件をこなしながら、キャリアアップを図る人もいます。

フリーランスへのステップ

キャリア中期の働き方としては、社内通訳者を複数の会社で経験した人の場合はぜひフリーランスをめざしたいところです。フリーランスとなっ

て最初のうちは簡単な逐次通訳の案件が多いかもしれませんが、通訳エージェントの信頼を得られれば、次第に講演会やセミナー、専門性の高い社内会議案件、ウィスパリングへとステップアップし、最終的には同時通訳案件、と紹介してもらえる仕事の難易度も高くなっていきます。

①エージェントの数を絞って新規登録

まずは社内通訳でもコミュニティ通訳でも、何かしらの通訳である程度経験を積んだ状態で、通訳エージェントに通訳者として登録することになります。通訳者養成スクールに通っていたのであれば、そのスクールが併設するエージェントに登録して、案件を紹介してもらうのが一般的ですが、それ以外に他社にも登録して仕事を受けていきます。

ただし最初は数を絞って登録するといいでしょう。何十社と登録しても体は一つなので、できる仕事の数には限りがあります。せっかく案件を紹介してもらっても、断り続けていると紹介が遠のいてしまいます。通訳エージェントとの信頼関係を築くためにも、最初が肝心です。登録後の最初の数件は必ず受けるという覚悟が必要です。また、経験が浅ければスタートのレートもそれほど高い金額は設定できないため、低いレートで登録した通訳エージェントばかりが増えてしまうと、後々のレート交渉が煩雑になってしまいます。

②他の通訳者と組む難易度の高い案件も

同じ通訳エージェントから受ける同じ企業の案件でも、工場視察の逐次通訳から、海外とつないだ社内会議、入社式などのセレモニーの通訳、社内研修、関連会社が一堂に会する国際会議や株主総会などの同時通訳まで、需要は幅広くあります。同時通訳の場合は、複数の通訳者で対応するのが一般的ですが、最初は経験豊富なベテランとペアを組むようにエージェント側で配慮してくれることもあります。このように他の通訳者と一緒に仕事をする機会が増えるのもこの時期です。通訳者同士がスムーズに連携することが会議の円滑な進行につながりますので、一緒に仕事をする通訳者との協力体制は必須です。

同時通訳案件も、ウィスパリングから簡易同時通訳機を用いた通訳をこ

なしていって、だんだんと国際会議場などでのシンポジウムや講演会の同時通訳を任されるようになっていきます。

③直接取引のクライアントを開拓

　フリーランスとして仕事をする上では、通訳エージェントを介さずに直接取引（直取引）ができるクライアントも持っておきたいものです。その理由はいくつかありますが、エージェント経由の仕事より高い報酬額を請求することができること、一度取引をすると継続して声をかけてもらえ、長期の取引ができる可能性が高いことなどが挙げられます。また、エージェント経由だとクライアントと直接コミュニケーションを取るのが難しいのに対し、直接取引ではクライアントの生の声を聞くことができます。通訳者側から提案や相談も直接することができます。密なコミュニケーションで信頼関係を構築しやすくなります。

　このようにクライアントとの直接取引はフリーランスにとって有利な点が多いのですが、だからといって通訳エージェントから紹介を受けたクライアントに対して、通訳者から直接取引を持ちかけるのはルール違反です。

　また、最近は通訳者が自分のWebサイトを持ち、通訳エージェントだけに頼らずに自分自身で営業活動をする人も増えました。ネットを通じてやり取りし、国内外のクライアントから直接仕事を受けるケースも増えつつあります。Webサイトの立ち上げまではいかなくても、仕事のマッチングサイトに登録することで、直接クライアントから仕事を受けることも可能です。もちろん直接取引は有利な点ばかりではなく、資料の依頼や当日の段取りの確認、契約内容の確認、見積もりや請求、支払いの確認などもすべて自分で行う必要があり、煩わしさを感じる人もいるでしょう。

キャリア中期に気をつけたいこと

●通訳技術の向上に努める

　ある程度経験を積んで通訳業務にも慣れてくると、仕事に忙しく、勉強を怠りがちになってしまいます。しかし、優れたスポーツ選手が日々トレーニングを欠かさないように、通訳者も常に技術の研鑽に努めることが重要

です。キャリア中期にもなると、比較的コンスタントに仕事が回ってきて、専門分野や特定のクライアントからリピートもされるようになり、いい意味でも悪い意味でも「慣れ」が出てきて、緊張感が薄れてしまうこともあるでしょう。モチベーションを高く維持するためには、新しい分野に挑戦したり、ネットワーキングで得た通訳仲間と情報交換をするなど、刺激を得ることも大切です。

　またこれからは、自身の通訳技術の向上だけではなく、通訳機器や遠隔通訳で必要なさまざまなプラットフォームなど、通訳で使用するテクノロジーに関しても、知識を更新していくことが求められます。

●リスク管理をする

　フリーランスは自由に仕事が選べる反面、不況やパンデミックなどがあれば、一時的に仕事が減少するというリスクにさらされているともいえます。エージェントからの案件だけを受けていたり、直接取引のクライアントも1社、2社だけに頼っている状態は、高リスクといえます。

　司法、医療、官公庁、スポーツ、または他の人がやっていないニッチな分野を得意分野にしてもいいでしょう。とにかく、仕事を分散することでリスク管理がしやすくなります。また得意分野はいくつか持っておいたほうが、キャリアの構築がしやすくなります。制御と機械など技術系でまとめたり、企業会計とIRなど親和性の高い分野でまとめるなど、自分のキャリア形成を支える上で一本以上の「柱」を作っておいたほうがいいでしょう。

　さらにフリーランスは、確定申告の手続きや、業務契約書や機密保持契約書などの契約書のやり取りなども自分で行う必要があります。いつでも相談できる税理士、弁護士を準備しておきたいものです。特に直接クライアントと契約を結ぶ際には、自分が不利にならないように、またいざというときには自分自身を防衛できるようにしておくことも大切です。

キャリア後期
自分の生き方に合わせて選択

　ベテラン通訳者としてキャリアが安定してくると、今度は仕事を選ぶ立場になります。指名されることも多くなり、レートの交渉力もついてきます。キャリア中期で絞り始めた専門分野がさらに絞り込まれます。専門性の高い知識を有するようになり、単なる通訳スキル以上の付加価値が増してきます。通訳実務の他にも後進の育成や自分でエージェント業務を始める人も出てきます。通訳業務を足掛かりに、活躍の場をさらに広げていけるのもこの時期です。

自分に合ったキャリア形成を

　従来はフリーランスとして独り立ちし、会議通訳者の道を進むのがキャリアアップと考えられていましたが、今は自分のライフステージに合わせて、通訳の仕事の形態を自由に選択する通訳者が増えてきました。ライフステージでは、男女問わず、結婚や子育て、介護などさまざまなライフイベントが起こります。そうした局面で自分のキャリアとどう折り合いをつけていくか、戦略的かつ主体的にキャリアを構築し、選択することが大事です（「自分に合ったキャリア形成」の例は128ページ）。

キャリア後期に気をつけたいこと

　この時期は、通訳経験も十分にあり、高いスキルを有するようになっています。どの現場でも高いクオリティのパフォーマンスを提供できる通訳者には、通訳エージェントやクライアントも安心して仕事を任せることができるので、ベテラン通訳者が重宝されるのは事実です。ただ、2020年のコロナ禍で一気に遠隔通訳が普及したように、通訳者を取り巻く環境は常に変化しています。今までと同じやり方が通用するとは限りません。クライアントが通訳者に求めるものも変容しています。通訳者自身も今までの

成功体験に縛られることなく、時代の変容に柔軟に対応するだけでなく、自分自身で新しい答えを見つけていく（Think outside the box）という姿勢が大事になるでしょう。

一人前の通訳者になるには10年?!

　キャリア準備期、初期、中期、後期と見てきましたが、従来のキャリアコースを例にとると、通訳者養成スクールで入門、基礎、本科コースと3年間学び、社内通訳の1〜2年間で基本的な経験を積み、その後フリーランスで食べていけるようになるまで数年かかると考えると、10年が一つの目安となるかもしれません。ただ、どの道を選ぶかによっても違うので、あくまで目安でしかありません。またいくら長く通訳者を続けていても、逐次通訳のみで同時通訳ができなければ、仕事の幅はかなり限定されます。逆にスキルは申し分ないのに、プロとしての常識に欠けるために仕事が回ってこない通訳者もいます。

　一方で、プレッシャーに打ち勝てずに通訳者のキャリアを途中で断念している人もたくさんいます。通訳者というのは常に緊張とプレッシャーにさらされる職業です。もし、通訳者に才能なるものが存在するとすれば、それは自分の失敗をいつまでも引きずらない図太い性格や、多少のことでは諦めない粘り強さなのかもしれません。緊張やプレッシャー、失敗したときの気持ちも含めて自分で受け止めることができ、それでも仕事を楽しめるようになれば、通訳者として一人前といえるのかもしれません。

自分のめざす通訳者像とは？

　国際会議で神業のような同時通訳をこなす会議通訳者は、通訳者をめざす人には憧れの存在ではないでしょうか。ただ、AI通訳（自動通訳）の進化が目覚ましい今、単に優秀な通訳に徹するだけでは、機械に取って代わられる可能性もあります。AI通訳や機械翻訳は、音声を正確に認識できればかなり正確な通訳が可能ですが、スピーカーの発言の行間を読み、感情のニュアンスを正確に訳すことはできません。それができるのは人間の通

Part
04

実践編

仕事の増やし方&稼ぎ方

127

訳者だけです。通訳者は単に言葉を対象言語に置き換えるのではなく、コミュニケーションの要となる重要な役割を担っているのです。

　通訳者は「黒子」に徹するべきといわれますが、「黒子」以上の役割を果たすことが有効な場面も存在します。例えば、紛糾した会議では通訳者が交通整理をすることで会議の混乱を防ぐことができます。また、文化の違いから話し合いが平行線になった場合、通訳者が双方に助言することで、話し合いが進むこともあります。双方のコミュニケーションが成立するよう最善を尽くすのが通訳者の本来の役割であり、機械ではその代わりはできません。

　キャリア形成においては、めざす通訳者像は一つではありません。コミュニケーションの橋渡しのニーズはあらゆるところに存在します。今は、既存の枠組みのキャリアパスに自分の生き方を合わせるのではなく、自分の生き方に合わせて、キャリアを自由に設計する時代になってきています。

自分に合ったキャリアを築いている通訳者たち

Aさん（男性・通訳歴10年）
翻訳も受けて事業の幅を広げる

初期　企業のエンジニアとして活躍していたが、英語が得意だったため、海外クライアントとの会議で通訳を頼まれる。現場で通訳の仕事をするうちにそのおもしろさに目覚める。社内研修で通訳スクールの短期通訳コースを何度か受講したが、本格的な訓練は受けたことがない。

中期～現在　親の介護をきっかけに退職後、プロの通訳者として独立。会議通訳者として忙しい日々を送る。通訳エージェントからの案件は得意分野の技術系が多く、逐次通訳がメインだが、他の分野や同時通訳の案件など幅広く仕事を受けるために、ビジネス特化型SNSやマッチングプラットフォームにも登録して、仕事のポートフォリオの充実に努めている。技術文書が書ける資格を生かし、技術系の翻訳も多く受注。さらに個人事業として翻訳請負の事業を立ち上げ、会社として顧客から依頼を受ける。

Bさん（女性・通訳歴15年）
自身のサイトで営業

初期 大学まで海外で過ごす。就職した外資系企業にて役員付きのアシスタント兼専属通訳として働く。会社員だと子どもを保育園に預けられて時間も規則正しいので、会社勤めをしている間に出産と子育てを済ませる。働きながら通訳スクールの上級者コースを受講。

中期～現在 スクール修了を機にフリーランスに転向し、通訳エージェント数社に登録。自身のWebサイトを立ち上げ、直接取引ができるクライアントの確保に積極的。まだこれといった得意分野は決めていないが、映画祭などのイベントで通訳をしてから、文化的なイベントの通訳も積極的に受けるようになる。文化イベントなどの司会の通訳は、役員に付いていた時のマナーや経験が役に立って、クライアントからも評判が良かった。

Cさん（女性・通訳歴20年）
改めて好きな分野の社内通訳へ

初期 家電メーカーに就職し、働きながら大手通訳エージェントの通訳スクールに通い、卒業と同時にフリーランスに。スクール併設のエージェントに加え、他のエージェントにも登録して経験を積み、数年でシンポジウムや国際会議などの同時通訳案件も担当するようになる。

中期 フリーランスとして、受ける案件数を調節して出産と子育てを経験。子育て期は案件の事前準備の時間を確保するのに苦慮した。得意分野は司法、IR、機械など技術系で、もともと働いていた家電メーカーからは、その後も定期的に直接、仕事を受ける。

後期～現在 子育てがひと段落したのを機に、以前から興味のあったデザイン業界の会社で社内通訳に転向。通訳エージェントや直接取引をしていた顧客の仕事は失うが、好きな分野で仕事をしている満足感とチームで仲間と働く楽しさは格別。毎日、興味のある内容に触れることができることと、フリーランスとは違って会議の準備に多くの時間を費やす必要がないのも魅力。

通訳者の料金の目安

113ページで通訳者のランクの目安を紹介しましたが、当然、通訳料金（報酬）もキャリアによって変わってきます。仕事を増やすため、稼ぐためには業界の相場を把握しておきましょう。

料金はランク別

通訳者に支払われる料金（報酬・ギャラ）は、通訳エージェントを介す場合、ソースクライアントが支払う金額から、通訳エージェントの手数料や経費を差し引いて算出されます。料金は一律ではなく、通訳者の経験や技量に応じて通訳エージェントが独自に分ける通訳者のレベル（ランク）を元に決められます。

基本的に通訳者のレベルが料金の基準なので、通訳する内容や分野による料金の増減はあまりありません。ただし、高度な専門知識が必要な分野になると、まれに高くなることもあります。通訳エージェントへのアンケートによると、料金が高くなることもある分野としては、医学・薬学関連、金融関連、IT関連、IR関連などが挙がっています。

また、通訳者の料金は半日（3〜4時間）か、1日（半日以上7〜8時間以内）を単価として計算されるのが一般的です。ただし、移動の必要がなく、拘束時間の短い遠隔通訳が増えたことで、半日、1日という従来の計算方法とは異なるケースもあるようです。

トップクラスは新人の倍以上?!

通訳者のレベルごとに料金（1日あたり）を調査しました。通訳エージェントに各ランクごとの下限金額（最低金額）と上限金額（最高金額）につ

いて回答してもらい、そのランクの平均値を出しています。

　国際会議の同時通訳などをこなすトップクラスの通訳者の料金は、下限金額が6万6250円、上限金額が9万2500円。一方、新人クラスの通訳者は、下限金額が1万7812円、上限金額が3万937円です。トップクラスの人の料金は新人の2倍以上、3倍近くになっています。この料金体系を見てもわかるように、通訳者は実力がすべての世界であり、新人とトップクラスとでは仕事内容も異なりますし、報酬にも大きな開きができるのです。

　通訳は高度な専門スキルが必要な仕事だけに、スキルを習得してプロとして独り立ちするまでに時間がかかります。そのため、報酬の金額だけを見ればそれなりの対価が支払われる職業とも言えるのですが、経験を積み、コンスタントに仕事をし続けることは、簡単なことではありません。

＜参考・通訳者のキャリア別の料金（1日あたり）＞

通訳者の ランク	キャリア・スキルの目安	下限平均	上限平均	多かった 価格帯
A ランク	10年以上のフリーランスとしての経験があり、会議通訳者として業界で認知されている	6万6250円	9万2500円	8万〜 8万5000円
B ランク	10年程度のフリーランスとしての経験があり、概ねどのような分野でも同時通訳と逐次通訳ができる	5万4500円	7万2000円	7万〜 7万5000円
C ランク	5年以上のフリーランスとしての経験があり、概ねどのような分野でも逐次通訳が可能で、分野によっては同時通訳も可能	3万6750円	5万2727円	3万〜 3万5000円
D ランク	2〜3年のフリーランスとしての経験があり、概ねどのような分野でも逐次通訳が可能	2万3611円	3万7500円	2万〜 2万5000円
E ランク	社内通訳として2〜3年の経験を持ち、概ね逐次通訳が可能	1万7812円	3万937円	1万5000〜 2万円

＊データはすべて『通訳・翻訳ジャーナル』編集部が2020年12月に通訳エージェントに行ったアンケート結果より。回答数32社。
＊注：この報酬は編集部が独自にランク分けしたレベルを目安に、大まかな料金を回答してもらったもの。通訳エージェントが同様のランク分けを行うわけではありません。また金額はあくまで平均で、一例です。このような報酬になるとは限りません。

Part
04

実践編

仕事の増やし方＆稼ぎ方

気になる年収

　131ページの料金を参考にすると、トップクラスの通訳者の場合、1日で7万円稼ぐことも可能ということになります。仮に同レートで月に20日間稼働すると、月収140万円。これはなかなかの高収入といえそうです。

　少し前のデータですが、2019年に通訳者68人に行ったアンケートで「年収」について聞いたところ、下は100万円未満から、上は2000万円近くまでかなり幅のある結果となっています。回答者の中には副業や兼業で通訳をしている人も含まれており、100万円未満と回答したのはそのような人が中心でした。専業のフリーランス通訳者の回答で多いのは、年収600万円から800万円あたりとなっています。

　また回答者の中には社内通訳者として働く人も含まれており、社内通訳者の年収は以下の通りです。平均値を出すと809万円となっています。

通訳者の年収

100万円未満	12人
100万〜200万円未満	4人
200万〜300万円未満	4人
300万〜400万円未満	6人
400万〜500万円未満	5人
500万〜600万円未満	5人
600万〜700万円未満	9人
700万〜800万円未満	8人
800万〜900万円未満	3人
900万〜1000万円未満	4人
1000万〜1500万円未満	5人
1500万〜2000万円未満	3人

平均　624万円

社内通訳者の年収と雇用形態

200万〜300万円未満 ……… 1人(正社員)
400万〜500万円未満 ……… 1人(正社員)
500万〜600万円未満 ……… 1人(派遣)
600万〜700万円未満 ……… 2人(正社員、派遣)
700万〜800万円未満 ……… 1人(正社員)
800万〜900万円未満 ……… 1人(正社員)
900万〜1000万円未満 ……… 1人(契約)
1000万〜1100万円未満 …… 2人(正社員)
1100万〜1200万円未満 …… 1人(正社員)

平均　809万円

＊『通訳・翻訳ジャーナル』編集部が2019年に通訳者68人に行ったアンケートより
＊「平均」はアンケートの回答の高いほうの金額(500万〜600万円なら600万円)を
　とって算出した平均値になります。

こうした数字だけを見ると、通訳者はなかなかの高収入ともいえそうですが、アンケートに回答した通訳者のキャリアの平均が12.4年と、中堅以上であったことも影響しています。新人の場合は料金も低く、コンスタントに仕事を得ることがなかなか難しいのが実情。そのため、この年収に到達するには相当の実力とある程度の年月が必要になるのです。

通訳業界・ギャラの真実

　現役通訳者に、匿名で収入と料金について聞きました。参考にしてみてください（『通訳・翻訳ジャーナル』掲載インタビューより抜粋）。

●通訳者Aさん・女性（通訳歴約20年・フリーランス歴約5年）

・通訳料金＆年収は？

　料金は1日あたり4万5000円から7万5000円で平均6万円。直接取引のクライアントが多い。年収は約1200万円（一部翻訳も含む）。

・料金は上がった？　料金交渉をしたことはある？

　フリーランスになった5〜6年前と比べると3万円ほどアップ。
　フリーランス3年目くらいに、複数の通訳エージェントに対して、最新の実績表を添付して指名率や実績をアピール。他社のレートにも触れて交渉した結果、複数の会社で5000円前後の値上げをしてもらった。

●通訳者Bさん・女性（通訳歴約20年・フリーランス歴約10年）

・通訳料金＆年収は？

　料金は1日あたり4万円から5万円。半日は3万円強（通訳エージェント経由の場合）。直接取引のクライアントはこれよりも高い。
　ここ数年は仕事をセーブしており、平均週3〜4日の稼働で年収約900万〜1000万円。ピーク時にはほぼ毎日稼働して、年収1500万円を超えていた。

・料金は上がった？　料金交渉をしたことはある？

　デビュー当時は4万円前後のスタート。消費税増税のタイミングで多少アップ。他社より安いエージェントには料金差を説明して上げてもらった。

稼ぐために必要なこと

通訳者のキャリアステップや料金について把握したところで、稼ぐためにはどうすべきか、必要なことをまとめておきましょう。

料金を上げたい！

通訳者の収入は「料金×稼働日数」ですから、料金を上げることと仕事を増やすことが「稼ぐこと」に直結します。単価については実績を積むことでしか上がりません。しかも定期的な昇給があるわけではないので、自分で交渉するという意識も必要です。

料金が上がったと実感したタイミングを通訳者に聞いてみたところ、いろいろな意見がありましたが、仕事の分野が広がったときと、同時通訳を任されるようになるタイミングで、ランクが上がって料金もアップする傾向にあるようです。自信を持って同時通訳ができるようになるまで、スキルを磨いていかねばなりません。

通訳料金が上がったと感じたとき

受けられる仕事の分野が広がったとき ……………………………… 12人
同時通訳の仕事を任されるようになったとき ……………………… 11人
アテンドなどではなく通訳そのもののウエイトが大きい仕事を
任されるようになったとき …………………………………………… 9人
シンポジウムやイベントなど大人数の聴衆がいる仕事を
依頼されるようになったとき ………………………………………… 7人
逐次だけでなくウィスパリングも行うようになったとき ………… 5人
新しいエージェントに登録したとき ………………………………… 2人
スカウトや紹介によりエージェントに登録したとき ……………… 2人

＊『通訳・翻訳ジャーナル』編集部が2019年に行ったアンケートより

得意分野を持つことも大事！

　通訳者は収入を増やすために、どのようなことを心がけているのでしょうか。通訳者へのアンケートでは「スキルを上げる」、次いで「専門分野を身につける」「単価の高いエージェントに登録」と続いています。

　収入を意識するとどうしても単価を上げることに意識が向きがちですが、料金にばかりこだわっていてもいい結果は出ません。新人の頃は料金にこだわらず、スキルを上げて専門分野を持つことを最優先に仕事をすることが大切。そうすればおのずと稼げる通訳者になっていくことでしょう。

　また、遠隔（リモート）通訳が増えたことで、通訳者にもインターネット環境の構築や各種アプリの操作など、基本的なITリテラシーが必要となりました。遠隔通訳に自信を持って対応できれば、移動時間がないぶん、1日3件など、複数の案件を受けることも可能になります。

> ### 収入アップのために心がけていること
> 1位　通訳スキルを上げる
> 2位　専門分野を身につける
> 3位　単価の高いエージェントに登録
>
> <その他>
> 稼働日数を増やす
> エージェントを介さず、ソースクライアントと直接取引
> 取引先を増やす
> 料金交渉をする
> 特定のジャンル（医学、金融など）に特化して仕事をする
>
> ＊『通訳・翻訳ジャーナル』編集部が2019年に行ったアンケートより

先輩の評価の影響力も大

　また、通訳業界では通訳エージェントの評価だけでなく、同業者からの評価も重要になります。同時通訳の仕事は必ず複数の通訳者とともに仕事をするので、「この人となら組んでもいい」と思われる人材である必要があります。先輩通訳者にそのような評価をもらえれば、同時通訳の仕事が多く入るようになり、自然と仕事の量が増え、ランクも料金も上がるはずです。

専門知識を身につけよう

　通訳者にとって通訳スキルと同じくらい重要なのが専門知識です。ここでいう専門知識とは、通訳対象となる分野・領域の背景知識のことであり、この知識がパフォーマンスの品質に大きな影響を与えます。また、専門分野を持つことは通訳者のキャリアアップに不可欠といってもよいでしょう。

　通訳者が仕事をするうえで専門知識がいかに重要か、どのような学習法があるのか、通訳者の関根マイクさんのご協力で紹介します。

*136〜141ページ　執筆協力／会議通訳者　関根マイクさん（プロフィールは188ページ）

なぜ専門知識が必要なのか

　ある程度の経験がある通訳者であれば、専門知識がなくても表面的な通訳をすることは可能です。しかし、言葉の持つニュアンスや話し手の真意まで含めて伝えるには、背景知識すなわち専門知識が欠かせません。つまり専門知識があればより立体的な訳出ができるということになります。

　では、表面的／立体的な訳出とはどのようなものでしょうか。例えば、哲学分野の案件で「一望監視システム」という言葉が出てきたとします。この時、専門知識がないと部分ごとに「一望＝sweeping view」「監視システム＝monitoring system」で「monitoring system with a sweeping view」とするような機械的な訳しか思いつかないかもしれません。ですが、よく調べてみると別の訳語があるかもしれませんし、専門家の間では常識として使われている言葉（Panopticon）があるとわかるはずです。結果として「monitoring system with a sweeping view」は、哲学に詳しい人が聞くと「間違ってはいないが適切な訳でもない」ということになってしまいます。単語・熟語一つとっても専門知識のあるなしで訳の重みや深みが違ってきますし、このようなところに話し手の話を本当にわかって訳している人と

136

表面だけを訳している人の差が出てくるといえます。

　特定の人だけを対象にしたニッチな分野だけでなく、世界的なイベントの中継やニュース番組のように不特定多数の人が視聴する場合の通訳も同様です。サッカーのワールドカップでサッカーに詳しくない人が選手や監督のインタビューを通訳したら、聞いているファンはもの足りなさを覚えるでしょう。ニュース番組には字幕が付くことが増えましたが、外国人が記者会見で話した内容について、現場にいた通訳者の生の訳を使わず、番組独自の字幕を載せることは往々にしてあります。そのほうが視聴者にとってわかりやすい情報になるという判断からです。

　通訳の現場で求められるのは、情報の順序を入れ替えたり、不要な部分を省いたりして、聞き手にわかりやすく、心に響くようなかたちで訳出することです。そして、そのようなパフォーマンスを実現するには、通訳スキルに加えて専門知識を備えていることが何より重要です。

専門知識を習得することのメリット

　専門知識があることで立体的な訳出ができるようになるのですが、それ以外にも専門知識を備えることのメリットはたくさんあります。

①話の先が読めるので体力を温存できる

　通訳者は、職務形態や案件によっては一人で数時間通訳をすることがあります。その場合、最後まで途切れることなく集中するのはとても困難ですが、専門知識があって話の先が読めると状況はずいぶん変わってきます。一つひとつの言葉に100％集中しなくてすむので、体力を温存できるのです。不慣れな光学設計の話は90分の通訳でも疲労困憊するものの、好きなゲームの話なら4時間通訳しても問題ないということもあるわけです。

②重要な箇所がわかるので、
　情報価値が低い細部を切り捨てることができる

　推敲を重ねたスピーチ以外は、ほとんどの人間は話の中に価値が低い情報を挟み込むものです。そのような話の通訳をするとき、専門知識がない

と情報価値が低いということを認識できず、価値が低いところに必要以上にこだわったり、その結果として価値が高いところに十分な時間や集中力を充てることができなかったりします。逆に、専門知識があれば必要な箇所に集中して効率的・効果的に訳すことができるので、通訳者の負担は軽くなります。聞き手にとってもやさしい訳出になるので、すべての人によい結果をもたらします。

③準備の時間を大幅に削減できる

　高い専門知識を備えることができると、それがそのまま自分の専門分野になります。専門といえるくらいその分野に精通すれば、案件によっては少ない準備で現場に立てることもあります。もちろん情報のアップデートは必要ですが、準備の時間が大幅に削減でき、より効率的に仕事ができるようになります。

④自分をブランディングできる

　専門分野を確立すると、自分をブランディングすることができます。東京都内だけでも何百人という通訳者がいる中で、「この分野であればこの通訳者」と覚えてもらうことは重要です。自分自身の価値作りにおいて、専門分野を持っていることは大きな強みになりますし、他者と差別化が図れます。差別化できれば報酬も上がります。コロナ禍のような不測の事態が起きても、専門分野でブランディングができている人は復活するのも早いのです。

⑤分野を絞って質の高い通訳を提供することで長く活躍できる

　10年、20年とキャリアを重ねてベテランの域に達すると、現場経験は豊富になるものの体力が低下します。そうなると、若手の頃のように来る案件を何でも受けるというわけにはいきません。むしろ分野を絞って質の高い通訳サービスを提供することに重きを置いたほうが長く活躍できます。長期的な戦略としても、専門分野を作ることには大きな意味があります。

何をどのくらい学習するのか

　広い範囲で深い知識を得ることができれば理想的ですが、現実はそうもいきません。そこで、ふだんは広く浅くアンテナを張っておき、仕事の依頼が来たときに特定の分野を深く掘り下げてみてはどうでしょうか。広く浅い知識があれば、ある特定の分野を学習する土壌はできているはずですので、深掘りするときもスムーズにいきます。通訳者はコンピュータのようなもので、専門知識はソフトウェアです。必要に応じてソフトウェアをインストールするような感覚で学習してみましょう。

　現場に出る前にどれくらい学習するかは人それぞれです。数日勉強したからといって専門家になれるわけではありませんが、入門書をきちんと読み込み、準備資料や打ち合わせの機会があるのであれば、自分を信じてチャレンジするのも一つの判断です。その分野で活躍している通訳者のパフォーマンスを見て自分の立ち位置を確認することもできますので、同業者のパフォーマンスを参考にするのもよいでしょう。

学習に適した時期はいつか

　自主的に新しい分野を開拓したいと思ったり、エージェントから新規案件の打診があったら、その時が専門知識を身につけるチャンスです。通訳者の中には新しい分野に飛び込むことをためらう人もいますが、依頼があるということはそれだけの実力があると見なされているわけですから、キャリアアップの足がかりをつかむためにも学習を始めましょう。

　思い立ったときがいつでも学習のタイミングですが、特におすすめなのが8月の夏休みや年末年始です。この期間は通訳業界がオフシーズンになるため、新しい分野の入門書を読んだり、音声や動画を視聴する時間が確保しやすくなります。アスリートはシーズン中に過重なトレーニングはしませんし、野球選手がフォームを変えるのはシーズンオフです。通訳者も同じで、繁忙期は仕事に追われているので、仕事が少ないオフシーズンに新しい分野にチャレンジして、広く浅い知識を蓄えておくようにしましょう。

専門分野の学習法

STEP1 入門書、ポッドキャスト

　まったく新しい分野を開拓する場合、まずは初心者向けの入門書を2、3冊読むことから始めます。原子力分野であれば『高校生からわかる原子力』（集英社）、『図解雑学 知っておきたい原子力発電』（ナツメ社）など、中高生が読んでも理解できるようなやさしい内容の書籍を母語で読みます。法務や医学分野には英訳付きの入門書もあります。

　加えて活用したいのがポッドキャストです。英語圏のポッドキャストは専門的なコンテンツが充実していますので、日常的に聴いていればいろいろな英語に触れることができ、専門知識も身につきます。「NEJM This Week」（医学）、「Lawyer 2 Lawyer」（法務）、「This Week in Google」（IT）などはおすすめです。

　STEP1 では"広く浅い"知識を身につけることをめざします。あまり効率を追求せず、STEP2 の土壌をつくる気持ちで臨みましょう。

STEP2 中上級専門書、動画コンテンツ

　"広く浅い"知識を"深く掘り下げる"段階が STEP2 です。中級・上級の専門書へと進みます。専門書になると価格も高くなりますが、「本はお金で買える実力」だと思って投資しましょう。法務の知財分野でいえば、『知財戦略としての米国特許訴訟』（日本経済新聞出版）、『アメリカ特許法実務ハンドブック』（中央経済社）などが中上級にあたります。

　深掘りする際に意識するべきなのは、実務的な運用はどうなのか、ということです。ビジネスシーンを含む多くの現場では、言葉が現場でどのように解釈され運用されているかが最も重要だからです。STEP1 で入門書を読むと、次に読むべき本の情報も入手できますので、自分の興味や仕事の実態に応じて読み進めていくとよいでしょう。

　専門書を理解できるようになれば、専門知識が身についてきた証拠です。また、業界イベントに参加したり、学会や業界団体に所属したりして、専門家から学ぶというのも一つの方法です。

動画サイトもインプットの手段として有効です。受注した案件のスピーカーが著名人であれば、同様のテーマでスピーチしている動画を探して予習することが可能です。専門知識を学ぶよい機会になりますし、話し手の特徴やくせもわかりますので、一つの案件に特化した準備ができます。動画コンテンツが充実するにつれ、より効率的に、より現場に即した専門知識が得られるようになりました。

　辞書については、辞書中にある訳語が実際に現場で使われているかどうかを調べることが必要です。そのための手間を惜しまないようにしましょう。

専門分野の確立とキャリアパス

　最後に、専門分野の確立とキャリアパスについて考えてみましょう。

　デビューから3〜5年は体力の許す限りさまざまな案件を受けて、自分の適性を探してみてはどうでしょうか。というのも、適性と個人の嗜好は必ずしも一致しないからです。興味のない分野でも、実際に仕事で扱ってみるとおもしろいと感じることもあります。中長期的に付き合える分野を見つけるためにも、幅広い分野・領域に触れることをおすすめします。

　8〜10年ぐらい通訳業界で経験を積み、中堅からベテランの域に差しかかるところでいよいよ分野を絞ります。その際は、仕事の効率、ブランディング、報酬水準を勘案して専門分野を確立しましょう。

　通訳エージェントから打診された案件を断るのは勇気がいりますが、中堅になればクライアントと直接取引する機会も増えてきますので、通訳エージェント経由の案件と直接取引の案件のバランスを見ながらスケジュール管理を行いましょう。直接取引が続けばさらに高い専門知識が身につきますし、人間関係も構築できます。その分野が自分に合っていると思えれば、続けていくうちにそれがあなたの専門分野になるのです。

＊　　＊　　＊

　専門知識を備えて専門分野を確立すれば、パフォーマンスのクオリティから報酬、キャリアに至るまで、さまざまなメリットがあります。それに、何といっても学ぶこと自体が楽しいものです。

欠かせない調べ物のスキル

　国際会議などで活躍する会議通訳者は、高度な語学力と通訳スキルで、聞いたことをその場でさらりと訳出しているように思えますが、決してそうではありません。たとえベテラン通訳者であっても、その日通訳する内容について、事前の調査・調べ物を欠かさず行っているのです。通訳者としてキャリアアップし、稼げる通訳者になるには「調べ物のスキル」もおろそかにはできません。

＊142〜145ページ　執筆協力／会議通訳者　巽 美穂さん（プロフィールは188ページ）

なぜ調べ物が必要なのか

　通訳者にとって、本番での通訳だけが仕事ではなく、事前の準備も仕事のうちだといわれます。通訳スクールの講師から、「通訳の仕事は事前の準備が8割」と教わったと話す通訳者もいます。そのくらい本番前の事前準備がしっかりと的確にできているかどうかが、当日のパフォーマンスの質を左右するものなのです。

　事前準備では、クライアントや通訳エージェントから届いた配布資料を読み込むのはもちろん、それ以外にも通訳者が独自にいろいろなことを調べています。通訳者にとっては受ける仕事が必ずしも自身の得意分野や経験のある内容とは限らず、スピーカーと同等の知識があるわけではありません。それでも通訳の際には、即座に的確な訳出をしなくてはなりません。そのためには丁寧な調べ物が欠かせないのです。

何をどのように調べるのか

　何を調べるのかはもちろん案件の内容、性質によりますが、大きく分け

ると一つは案件に関連した基本情報と周辺情報、もう一つは当日扱う専門的な用語とその定訳になります。

　例えばとある企業のセミナーでの通訳を務めるとなれば、まずはその企業の会社概要と該当する業界の情報、さらにセミナーのスピーカーのプロフィールなどを調べます。そして、セミナーのテーマに沿った基本的な情報も仕入れます。その上で、セミナー中に出てくると思われる専門的な用語について、日本語と英語で調べて定訳をまとめておきます。

　一般的に人が何かを調べる際の情報リソースは、新聞・書籍・雑誌などの「紙」、そして「インターネット」、さらには「人」からの情報の３つに分類されます。どのリソースを使って調べるのかは人それぞれですが、複数の案件を抱える多忙な通訳者は、まずはインターネットを活用します。かつては案件のたびに「専門書を図書館に探しに行った」という通訳者もいましたが、最近は専門的な情報でもネットで得られるようになりました。もちろん、より時間をかけて詳しく知りたい場合には書籍をじっくり読むこともありますし、「医薬関連の通訳を専門にしたい」と、医学生が持つような医学事典を揃える通訳者もいます。

　ただし、インターネットでの調べ物には注意が必要です。念頭に置くべきはネット上の情報は玉石混淆であるということ。何か用語を検索すればさまざまなサイトがヒットしますが、その際には政府系機関など、公的機関のサイトの情報を優先します。また、用語の訳語候補が複数ある場合は、Google検索でヒット数を調査するといった、ネット検索の基本は身につけておいたほうがいいでしょう。

どの程度調べるのか

　事前準備や調べ物にかける時間は、案件の性質によって変わってきます。例えば、すでに担当したことのある企業の定例会議なら、前回までの知識の蓄積を活用できるので、調べる要素は限定されます。しかし初めての会社の会議で通訳する場合には、事前の配付資料の読み込みに加え、企業・業界全体・製品・参加者などを一から調べる必要があり、調べ物の時間は長くなります。中には、通訳当日の数カ月前から準備をする場合もあります。

ただ、ネットが普及し、さまざまなデバイス、メディアが充実したことで、通訳者にとって調べ物の作業はぐんと楽になりました。スマートフォンやタブレットを使えば、移動中や隙間時間を活用して調べ物をすることもできるようになりました。

　通訳者の具体的な調べ物の仕方、手順の例は以下の通りです。

当日に調べることもある

　事前準備を完璧にしたと思っても、現場でとっさに訳語が出てこなかったり、直前に配付される資料に知らない用語が出てくることは必ずあります。そのようなケースに備えて、多くの通訳者は仕事の現場に電子辞書やタブレットやノートパソコンを持参しています。通訳中に電子辞書を引き、ネット検索をするのは無理でも、交代や休憩のタイミングや会議がスタートする直前などに行っています。訳出のクオリティを高めるために、どのような状況でも諦めず、ぎりぎりまで調べ物をしているのです。

通訳者の調べ物・Aさんの場合
専門的な学会の通訳の場合

① **全体像の把握**
早い段階で、会議のテーマや趣旨、出席者、主催者などの情報を頼りに、インターネットで関連情報を幅広く収集。

② **背景・周辺情報を調べる**
案件の日まで時間があればその会議の内容を意識しておく。そうすると日々触れているニュースで関連がありそうな内容に気がつくことができる。

③ **スピーカーについて調べる**
会議に登壇する人の論文や書籍があれば入手して読む。

④ **用語集など作成**
会議内で扱われるであろう内容や専門用語についてのリサーチをまとめ、対訳の用語集を作っておく。

⑤ **資料・原稿の読み込み**
会議直前にスピーカーの原稿が届く頃には上記の作業まで完了させておくのが理想的。原稿を見ながらさらに用語などを補足、書き込む。

通訳者の調べ物・会議通訳者 巽さんの場合

IR通訳の場合

① 担当企業だけでなく競合他社や業界全体の状況を把握する。まずはネットではなく書籍の『会社四季報 業界地図』(東洋経済新報社)を読む。

② Wikipedia で担当企業を調べ、企業サイトも全体を軽くチェックし、IR ライブラリを見る。前回の決算動画や音声があれば視聴する。

③ 通訳エージェントから資料(「四季報」「決算説明資料」「質疑応答要旨」など)が日英で提供されていれば、用語集を作る。日本語のみの場合でも企業サイトに英語ページがあれば、英語ページから定訳を拾う。

④ 用語集はExcelで英語、英略語、日本語、日略語、メモの欄にまとめ、製品名・セクター名などの固有名詞や覚えづらい単語をハイライトしておく。

⑤ 資料にない直近のニュースを把握するため、ニュース検索をする。

⑥ 投資家と投資会社についても調べる。投資家はLinkedInなどでプロフィールを公開していることが多い。投資会社は規模や運用ポリシーを見る。

医薬セミナーの通訳の場合

① ドクターが話す疾患の基礎知識を日本語・英語で得るため、Web 検索や動画検索をする。「疾患名 基礎」で動画検索すると、看護師や研修医によるYouTube 動画や市民講座などの平易な言葉での講演が日英で見つかる。

② 動画やWeb からキーワードになりそうなものを、Excel で英語、英略語、日本語、日略語、メモの欄にまとめ、用語集を作る。

③ もし講演者本人の過去動画が見つかれば視聴して、アクセントや話し方のくせなどを把握。対応案件と同トピックの講演動画が見つかったら、シャドーイングすることも。

④ 資料が届いたらまず読んで、わからない部分は日英で検索(資料が届く前に動画視聴と用語集作りで基本を押さえておくと理解しやすい)。

⑤ 余裕があれば再度動画に戻り、当日のトピックに類似した講演動画を探して同時通訳の練習をする

●すべての案件の仕事後／案件中に知った単語などがあれば用語集に追加し、クラウドに保存しておく。

遠隔通訳の基礎知識

通訳者として仕事を増やすには、時代に即したスキルを身につけることも大切です。2020年以降一気に増えた、遠隔通訳（リモート通訳）にも対応する必要があるでしょう。すでに本書内でも触れてきましたが、ここでは遠隔（同時）通訳の特徴や必要スキル、環境整備などについてより詳しく解説します。

* 146〜159ページ　執筆協力／会議通訳者　ブラッドリー純子さん、会議通訳者　巽 美穂さん（プロフィールは188ページ）

遠隔同時通訳とは？

遠隔同時通訳とは、リモート、つまり通訳現場ではない、離れた場所から同時通訳をすることで、RSI（Remote Simultaneous Interpretation）と呼ばれます。専用の遠隔同時通訳（RSI）プラットフォームを利用した遠隔同時通訳案件と既存のWeb会議システムを活用した遠隔同時通訳案件があります。

RSIプラットフォームは複数あり、代表例はInterprefy、KUDOなど、Web会議システムの代表例はZoom、Microsoft Teams、Webexなどです（2021年8月時点）。RSIプラットフォームもWeb会議システムも以前からありましたが、2020年のコロナ禍で急速に使用が拡大しました。

遠隔（リモート）通訳は、1980〜90年代の欧米において医療分野の診断時などに外国語を母語とする人や手話通訳が必要な人のための言語サービスとして使用されたVRI（Video Remote Interpretation）というビデオ遠隔通訳が始まりだといわれています。医師患者間の通訳をする際、音声のみでは難しいため、遠隔カメラの技術が多く用いられました。それを会議通訳用に応用したものがRSIです。

2014年以降、KUDO、InterprefyといったRSI専用プラットフォームの

開発が進み、欧米を中心に少しずつ普及してきました。2020年のコロナ禍がきっかけとなり、グローバルに利用者が増えてきています。

コロナ禍で一気に増えた遠隔案件

2020年の新型コロナウイルス感染症の世界的な流行以前は、外国人の来日や日本人の海外出張に合わせ、通訳者も同じ場所に赴いて通訳を行う現場（オンサイト）通訳の案件がメインでした。しかし、頻繁に会議を行う企業などでは電話会議システムや専用のテレビ会議システムを利用した遠隔会議も以前から行われていました。その際、日本・海外・通訳者の3者通話が定番であるIR電話会議（＊）以外は、通訳者はクライアントの日本側オフィスの会議室に出向き、クライアントと一緒に会議に参加していました。大型の電話会議用スピーカーに向かって逐次通訳をしたり、テレビ会議に接続されたブースのマイクから同時通訳をする形でした。

コロナによる渡航制限や外出自粛により、インターネットを利用した遠隔会議が急速に普及しました。以前のテレビ会議システムのように専用の設備は使用せず、各自が自分のパソコンやデバイスからWeb会議に参加するスタイルとなったのです。

＊IR（Investor Relations）の電話会議は、コロナ禍以前より3者（外国人機関投資家・日本人事業会社IR担当者・通訳者）が3拠点から、証券会社の電話会議システムにコールインするのがデフォルトだった（通常1時間のため交代不要の逐次1名体制）。

遠隔通訳で変わった通訳者の働き方

通訳が必要となる会議・研修・セミナー・イベントが遠隔で開催されるようになったことで、通訳者の働き方も変わりました。遠隔会議の場合の通訳者の働き方は、以下のいずれかになります。

①自宅からログインして遠隔で通訳を行うフルリモート

②通訳エージェントの通訳センターや会議室に通訳者のみが集まって通訳を行うセミリモート

③クライアントのオフィスへ通訳者が赴いて、海外とのWeb会議を通訳するセミリモート

さらに、来日できない海外の本社の勤務に合わせて、日本時間の深夜や早朝に通訳者が必要とされる会議が行われることも増えました。また同時通訳音声の収録案件も増えました。セミナーなどの音声付き動画データに対し、主にスタジオで同時通訳音声を収録する案件です（録音同時通訳ともいいます）。

　ちなみに、遠隔（リモート）通訳にも、対面での通訳と同様に「同時通訳」で行う案件と「逐次通訳」の案件があります。RSIプラットフォームを使う案件は、そもそも「同時」を売りにしているツールなので遠隔同時通訳となりますが、一般的なWeb会議システムを利用する場合や予算の都合で、遠隔での逐次通訳となる案件もあります。Web会議システムの中では、Zoomは「言語通訳」機能を使用すれば同時通訳が可能ですが、一定グレード以上のアカウントのみの機能のため、逐次通訳に使われることもあります。

遠隔会議増加による通訳者の働き方の変化

＊自宅からのフルリモートが多くなる
　（2020年のコロナ禍以前は自宅からの通訳はほとんどなかった）

＊海外との時差により、早朝や深夜の業務の増加

＊通訳エージェントのスタッフの在宅勤務により、通訳資料がデータ送付にシフト
　（案件の性質により、印刷が必要な資料は送付してくれるエージェントも）

＊短時間の通訳業務の増加
　（リモートでの会議やイベントは参加者にも負担なので時間が短い）

＊同時通訳の収録案件（録音同時通訳）の増加

遠隔通訳の
スキルを身につける

　リモート時代にも活躍し続ける通訳者であるために、どのようなスキルが必要なのでしょうか。

遠隔通訳をする際に必要なスキル

●遠隔通訳に関する知識

　リモート会議が普及し、遠隔通訳の導入や遠隔通訳（RSI）プラットフォームの使い方を熟知するクライアントも増えてきました。しかしクライアント側が遠隔通訳に不慣れな場合、通訳者がある程度はプラットフォームの機能などを説明できないとクライアントも不安に感じます。

　さらに状況やニーズに応じて通訳者自身が遠隔通訳の導入方法の提案ができれば、通訳者としての付加価値につながるでしょう。どんなプラットフォームやアプリケーションが利用に適しているのか、コストパフォーマンスの観点からも理解しておくとよいでしょう。

●遠隔通訳の経験

　発注側は遠隔通訳の経験がほとんどない、遠隔同時通訳（RSI）プラットフォームの使い方を知らない通訳者をリモート案件に起用するのはリスクが高いと感じます。もちろん通訳スキルや実績は大前提ですが、現場通訳の経験値が必ずしも遠隔通訳案件においても同様に評価されるとは限りません。対面通訳案件でもハンドオーバースキル（パートナーとの交代方法）は必要でしたが、遠隔では難易度もアップします。通訳しながらチャット機能でパートナーとコミュニケーションが取れるかなど、通訳技術以外のスキルやノウハウが必要です。遠隔通訳の技術は実践することで次第に身についてきます。実績表にも「遠隔通訳実績」の欄を設けて明記しましょう。

●声のきれいさ、聞いていて苦にならない声質

　遠隔通訳時、カメラはオフで、顔は出さずに仕事をすることもあります。通訳者にとっては声だけが勝負となり、聞きやすさや音声のクオリティがより重視されます。また対面の会議と比べ、リモート会議では参加者が疲労を感じやすいともいわれています。ですから聞き手にとって長時間聞いていても疲れない、かつ聞きやすい通訳が求められます。

　さらに聞いていて眠たくなる単調な通訳よりも、メリハリがあって、声に表現力がある通訳者が重宝されます。また、会議や企業イメージや雰囲気に合わせて話すことができると、売れっ子になります。

　話し方は通訳者としての差別化にも見逃せないポイントです。スピーチや話し方のプロに評価してもらったり、レッスンを受けて発音矯正や発声方法を学んだり、自分のベストな声を習得するのもよい方法です。

●明確で聞きやすく、わかりやすい日本語力

　声質と同様、通訳中のくせや表現も、遠隔通訳だとより気になるものです。「えー」「あのー」といったフィラーが多い、直訳的で不自然な日本語（あるいは英語）で理解しにくい、話し方にくせがある、あるいは滑舌が悪いなどの問題がある通訳者は、恐らくクライアントの評価が下がってしまうでしょう。

　なかなか自分では気がつかない点なので、自身の通訳を録音して聞き、通訳スクールの講師や同僚に率直なフィードバックをもらうなど、客観的に自分のデリバリーを聞いてみることをおすすめします。

●相手が見えない状況での通訳

　遠隔通訳では、聞き手であるオーディエンス（参加者、聴衆）が通訳者側から見えないことがほとんどです。Web会議システムの同時通訳機能も、ウェビナーの場合の聴衆は基本的にカメラオフで、RSI専用プラットフォームの中には通訳者には参加人数さえわからないものもあります。

　つまり、知識レベルや年齢など参加者の人物像がわからないため、聞き手のことを考えながら通訳することができません。聞き手の目線に合わせた通訳を提供するには、事前に主催者に参加者がどのような人々かを確認

するとよいでしょう。相手が見えない環境でも、聞き手がいることを忘れず、聴衆がそこにいることを常に想像しながら通訳する必要があります。

●柔軟性

どれほど事前準備を念入りに行っても、どうしても通信や機材などの技術的な問題が発生することがある、それがリモート会議です。そのため、状況や必要に応じた対応力が求められます。もちろん通訳者にとって働きやすい環境を確保することが前提ですが、会議が成功することを最優先に考え行動できるかどうかもクライアントは見ています。

現場での通訳案件に比べてイレギュラーなことが起こりやすいリモート環境では、落ち着いて柔軟に対応できることもアピールポイントです。

●遠隔通訳の変化に合わせる対応力

遠隔通訳の領域は急速に変化しつつあり、使用するRSIプラットフォームやWeb会議システムの機能も改良が進み、常に新しいツールが開発されています。新たなツールが会議で使用されるたび通訳者は使い方を習得しなければなりません。

また、現在主流のプラットフォームも数年後には他のものと入れ替わっている可能性もあります。ツール以外にもPCやネット環境など技術的な要件を含め、時代とともに変わっていくことが予測されます。リモートか現場かに関わらず、STT（Speech-to-Text）やAIなどの技術が成熟してくると、将来的には通訳者の業務形態も大きく変わるかもしれません。

また遠隔通訳時、時差や予算の都合で通訳者を2名起用する代わりに、1名の通訳者が後日録画を見ながら通訳音声を吹き込む同時通訳の収録案件（録音同時通訳）のニーズも増えてきています。

遠隔同時通訳の技術がますます向上し、自宅やハブスタジオ（通訳エージェントの会議室や通訳センターなど）からの業務が増え、通訳者の働き方もすでにハイブリッド化を迎えています。時代の変化に合わせて柔軟に対応できるよう、常に知識や情報を取り入れる体制を整えておきたいものです。通訳者もアップデートを繰り返しながら、ニーズに合わせて働き方も変えていく必要がありそうです。

遠隔通訳の準備と手順

ここからは実際に遠隔（同時）通訳をする際の手順やポイントを紹介します。主に通訳者が自宅で行う場合を想定しています。

遠隔通訳のための事前準備

●準備1　自宅での遠隔通訳の環境

実際に自宅で遠隔通訳を行うには、まずは環境の整備が必要です。遠隔同時通訳（RSI）プラットフォームでは、各社がそれぞれ通訳者に対して環境要件を定めています。ZoomやMicrosoft TeamsといったWeb会議システムを利用して遠隔同時通訳を行う際も、RSIプラットフォームに準じた環境を整えるとよいでしょう。

RSIプラットフォームで求められる要件

・**有線LAN接続での通信の回線速度**／例：上り下り10Mbps以上など。自宅のインターネットの速度はインターネット上の「スピードテスト」ですぐに確認できます。

・**使用するコンピュータのCPUや最新版OSおよびブラウザ**

・**有線ノイズキャンセリングヘッドセットあるいは有線イヤホンとスタンドマイクの組み合わせ**／ヘッドセットやマイクを指定されるRSIもあります。

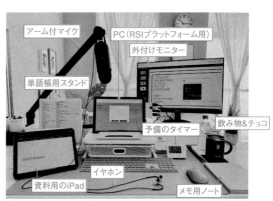

自宅で遠隔通訳をする際の環境例（写真提供／会議通訳者　ブラッドリー純子さん）。

・**静かな環境**／生活音やノイズのコントロールが必要。紙をめくる音やタイピングの音にも注意。

・**Web会議システム**／Zoom、Teams など。2回線で同時通訳をする場合は、2台のコンピュータ・デバイスから2回線へのログインが必要（例：メイン会議回線［通訳者音取り用兼訳出用］と通訳者間モニター会議回線［パートナー通訳者の音声確認用］など）。

・**その他**／タイマー共有アプリを使用する場合はタイマーの表示、通訳者間の連絡手段が会議回線以外の場合は連絡ツール（メッセージアプリなど）の表示、また資料を見たりネット検索をする画面など。

●準備2　パートナー通訳者に対して

　遠隔通訳の場合も、事前に資料をもらって読み込む、という各案件の準備自体は現場案件と変わりません。ただ直接現場で顔を合わせることができないため、パートナー通訳者と以下の取り決めが必要です。

・交代時間（何分交代か）
・交代方法（何を基準に測定し、どのようにして交代するか）
・順番
・連絡方法（RSIプラットフォームやZoomのチャット機能か、それともLINEなどのメッセージアプリか）

　普段からやり取りのある通訳者と組む場合は、前日に連絡し合って決めておくことが多いです。当日、システムにログインしてからだとクライアントも回線上にいるため、通訳者同士の打ち合わせ時間が取れないこともあります。面識のない通訳者と組む場合は、上記をエージェントのコーディネーターに確認しておきます。

●準備3　クライアントに対して

　現場で顔合わせができないため、初めてのクライアントや、継続クライアントでも重要な会議・イベントの場合、本番前にログインして簡単な打ち合わせや音声接続テストを希望されるケースが多くあります。2名体制の場合は、通訳者1の英語・日本語→通訳者2の英語・日本語の音声テストを行い、全通訳者の回線に問題がないことを確認しましょう。

遠隔同時通訳案件の手順

　準備を整え、本番に挑みます。案件の内容や使用するプラットフォーム（RSIプラットフォームかWeb会議システムか、など）によって当日の流れは異なりますが、標準的なプロセスは以下の通りです。

●本番のプロセス

①**予定の確認**／カレンダーにリンクのURLやパスワードなどのログイン情報をあらかじめ入れておくと便利です。可能であればパートナー通訳者と事前に連絡を取り、交代方法などを確認しておくことをおすすめします。

②**ログイン**／当日は指定ログイン時間に余裕を持ってアクセスしましょう。アクセス時には使用中のマイクとスピーカーが正しく選択されているかを設定画面から確認してから入室すると、イヤホンから音が聞こえないなどの問題を回避できます。

③**通訳者との打ち合わせ**／必要に応じ、通訳プラットフォーム用とは別のデバイス（スマートフォンやタブレットなど）からメッセージアプリを使ってパートナーとつながります。

④**マイクテスト**／プラットフォームの種類にかかわらず、必ずマイクテストを行いましょう。技術担当者（テック・サウンドエンジニア）がつく場合は、担当の指示を待って音声チェックを行います。

⑤**最終確認・本番**／マイクとスピーカーの設定、スライド資料やメモ取り用のノートとペン、デバイスの位置、飲み水の確保などデスク周りを最終確認し、いよいよ本番スタート。RSIプラットフォームはマイクをクリックしてから実際にオンになるまで1～2秒のタイムラグがあるため、会議開始予定時間の1～2分ほど前からマイクをオンにするとよいでしょう。

⑥**休憩中**／通訳者は必ずマイクがオフになっているか再度確認をしましょう。また、予定より早めに再開する可能性もあるので、再開時間の少し前に戻ってスタンバイしておくことをおすすめします。

⑦**本番終了**／セッションが完全に終了するか、あるいはクライアントや機材担当者からリリースされるのを待ってから退室します。

●RSIプラットフォームの交代方法

遠隔同時通訳で2名以上の通訳者が担当する場合、難しいのが通訳者の交代です。プラットフォームにより交代方法は異なります。どのプラットフォームも簡単なデモンストレーションやオリエンテーション、または基本的な操作を学ぶためのトレーニングを実施しています。

RSIプラットフォーム「Interprefy」のUI。左側がIncoming（フロア音声）、右側がOutgoing（通訳音声）。右上がマイクボタンでオンになると赤に変わる。リレー通訳やA言語とB言語両方向の場合は言語設定を変更すれば言語ボタンが追加される。

主要プラットフォームの一つInterprefyのUI（ユーザーインターフェイス）はシンプルで使いやすいデザインになっています。交代時間が近づくと、ハンドオーバーカウントダウンのポップアップ表示が出てきます。マイクボタンをクリックし、自分のマイクが赤くオンになったのを確かめてから通訳を始めます。相手と交代するときには、パートナーのマイクがオンになったのを画面で確認してから自分のマイクを切ります。

●エンジニアや担当者が付くことも

RSIプラットフォームの案件では技術担当者（エンジニア）が付く場合が多く、マイクテストからクライアントとのやり取り、音質やリレー通訳時のモニタリングやサポートなどの一切を行ってくれます。そのためZoomなどの非RSIプラットフォームを使う案件とは違って、通訳者としての業務のみに専念することができます。

RSIプラットフォームはどれも開発以来、通訳者のフィードバックを取り入れながら年々改善されています。無駄な機能は省き、便利な機能を追加し、通訳者がリモートでも業務しやすいように工夫されています。

Web会議システムの場合の対応

　遠隔同時通訳（RSI）プラットフォームではなく、Web会議システムやビデオ通話アプリを組み合わせて遠隔同時通訳を提供する案件もあります。Web会議システムはZoomやMicrosoft Teams、Webexなどが使用されることが多くなっています（2021年8月時点）。

　RSIプラットフォームでは、画面上の「HANDOVER」ボタンで交代の合図を送ったり、通訳者専用のチャットボックスで意思疎通が可能です。しかしZoomなど、一般的なWeb会議システムで同時通訳を行う場合、通訳交代やコミュニケーション方法の工夫が必要となります。

●複数回線へのログイン

　Web会議システムを使って同時通訳をする場合、異なるデバイスやPCから複数（通常2回線）の会議へログインする必要があります。そこがRSIプラットフォームとの大きな違いです。

　例えば、一つはメイン会議回線（通訳者音取り用兼訳出用）として使い、もう一つを通訳者間モニター会議回線（パートナー通訳者の音声確認用）として使います。いずれの場合も自分の音声が入ってはいけないタイミング（パートナー通訳者の通訳中や音取りのみのメイン会議）では、音声をミュートにする操作が必要となります。

●通訳者交代はタイマーで

　従来の現場通訳（オンサイト通訳）案件では、通訳者は交代のために消音のできるタイマーを持参していました。遠隔同時通訳の際、各自が自宅で別々のタイミングでタイマーを設定してもタイマーの意味をなさないので、タイマー共有アプリを使用します。アプリは多数ありますが、「CHRONOGRAPH」がよく利用されているようです（2021年8月時点）。カウントダウンのタイマーとカウントアップのストップウォッチがあり、通訳中通訳者が「0」にリセットすることで、後続通訳者に対して交代の合図にもなるため便利です。

また、社内会議や社内研修などの案件で、クライアントが通訳音声以外のノイズに寛容な場合、通訳中に通訳者が声に出して「お願いします」「交代お願いします」と言って交代の合図にするケースもあります。

　通訳音声以外のノイズを避けるのであれば、タイマー共有アプリのリセットを合図にする、あるいは時間計測にはパソコンの時計を使用しつつチャットで連絡するとスムーズに交代できます。

　また通訳者間モニター会議回線でビデオオンにし、「どうぞ」の身振りで交代し合うケースもあります。互いの姿が見えるので遠隔でありながらもブースにいるような一体感があり、万が一、本番中に何かトラブルが起きても相手の状態を見て把握できます。

●本番中のコミュニケーション

　プライベートチャットが可能なWeb会議システムの場合、チャットでのやりとりが第一選択でしょう。プライベートチャット機能がない会議システムだと、チャット内容が参加者全員に見えてしまいます。クライアントに許可を得て、通訳者＋少数の英語話者だけがログインしている通訳音声会議でチャットさせてもらうか、別のコミュニケーションツールが必要となります。

　LINEやMessengerといったメッセージアプリですでにつながっている間柄の通訳者同士の場合、そちらでやり取りするケースが多いようです。メッセージアプリでつながっていない通訳者との案件では、緊急連絡先として教え合っている携帯電話番号のショートメールでやり取りをすることもあります。いずれにしても本番中にどう連絡を取り合うのかは、事前に打ち合わせを行うことが大事です。

遠隔通訳をする際の注意と心得

●静かな環境やマイクへの配慮

　自宅から遠隔通訳をする際は、静かな環境を確保することが前提です。集合住宅や同居人がいる場合は、生活音やノイズがクレームにつながることがあります。遠隔通訳の際にはレンタルオフィスを利用する通訳者もい

ます。また雑音低減型のマイクを使用すると、周囲の雑音がストレスになりません。

　マイクから入る雑音にも気を配りましょう。マイクを通じて、紙をめくる音、マイクに手が触れたときの音、扇風機やエアコンの音、リップノイズや息づかいまで入ってしまうことがあります。資料やノートをめくるときはマイクから離すなど、聞き手の立場で配慮しましょう。パソコンの録音機能を使って自分の音声を録音し、ノイズが入っていないか事前に確認してみるのもよいでしょう。

●完璧をめざさず8割でよし、柔軟性を持って対応

　遠隔通訳では想定外のハプニングが起こることがあります。現場通訳の案件と違うのは、クライアントもパートナー通訳者もお互いに遠隔から業務をしなければならないこと。チームワークが大切な同時通訳業務、あるいは会議の場においてこれはハードなことです。

　事前確認を十分に行っても、予定通りに会議が進行せず、交代ができないこともあります。また一方のネット接続が落ちてしまった場合には、パートナー通訳者がカバーしなければなりません。テクノロジーに苦手意識がある人は、余計に緊張して本来の実力が出せないかもしれません。ある程度、遠隔通訳者の練習や経験を積んでトラブル対応ができるようになれば自信もできますが、RSIプラットフォームによって使い方も違うので、なかなか慣れない人が多いのが現状です。

　だからこそ、「遠隔通訳では8割うまくいけばOK」というメンタリティを持つこと。そうすれば無駄な緊張をせずにすみます。トラブルが起きた際にどう対応するのかがいちばん大切で、対応のスキルもクライアントは見ています。仮にトラブルが起きたとしても、本番中に引きずることなく、通訳に集中することが大切です。

●コミュニケーションを大切に

　パートナー同士、顔の見えない状態でチームとして同時通訳の業務を成功させるには、円滑なコミュニケーションがカギになってきます。遠隔通訳では会ったことのない相手とパートナーとして組むことも多くあるた

め、連絡先がわかれば率先してメールなどで事前に挨拶をしておくとよい
でしょう。通訳エージェント経由の場合も「挨拶と簡単な打ち合わせをし
たい」と伝えれば、相手の連絡先を教えてもらえる場合があります。もし
無理ならば、本番前に必ず挨拶してハンドオーバー（交代）方法などの打
ち合わせをしましょう。

　本番が始まったら、157ページでも触れたように、パートナーとのやり
取りやコミュニケーションは基本的にはチャット機能を使うようにしま
す。RSIプラットフォームにもZoomにも、ダイレクトメッセージが送れる
機能が付いています。通訳しながらも、時々はチャット画面を確認する習
慣をつけておくとよいでしょう。

遠隔通訳は今後ますます増える

　2020年の新型コロナウィルス感染症対策として、やむを得ずリモート
ワークを導入した企業は多かったのですが、感染収束後も継続してリモー
トワークを取り入れていきたいと希望する企業も少なくありません。

　ペーパーレス・ハンコレスやIT化がさらに進み、リモートワークを実現
するための環境がさらに整うことも予想されます。通訳を要する会議・イ
ベントなどの一部もオンライン開催がデフォルトとなり、それに伴って遠
隔（リモート）通訳も、通訳形態の定番として定着していく可能性が高い
でしょう。

　テクノロジーの世界は日進月歩なので、会議のデジタル化が加速してVR
会議が普及する可能性もあります。そのようなデジタル空間で通訳者がど
のような役割を果たすことができるのか、それは未知数です。加速的に変
化する時代において、通訳者として継続して稼働するためには、通訳技術
の研鑽は当然のことですが、日頃から進歩するテクノロジーに常にアンテ
ナを張り、前向きに試してみる姿勢が必要かもしれません。

(((COLUMN)))

通訳エージェントの応募条件

　Part3、4で触れたように、社内通訳者を経験した場合、どのレベルでフリーにシフトするかが大きな問題です。フリーランスで働く＝通訳エージェントに登録可能なスキルがある、ということになりますが、通訳エージェントへの登録は簡単ではありません。特に厳しいのが応募条件です。編集部が通訳エージェントに実施したアンケートによると、通訳者の応募条件を「実務経験3年以上」とする会社が多いことがわかりました。次いで「通訳者からの推薦・紹介」も多くなっています。通訳エージェントに登録するには、通訳実績に加え、先輩の推薦という業界内の人脈が必要という、駆け出しの人にはなかなか高いハードルがあります。ただ「未経験者可」という会社も少ないながらあるので、通訳エージェントのホームページなどをチェックしてみましょう。

通訳エージェント・応募の条件

通訳実務経験者のみ・経験1年以上	9社
通訳実務経験者のみ・経験2年以上	4社
通訳実務経験者のみ・経験3年以上	12社
通訳実務経験者のみ・経験5年以上	8社
社内通訳経験者	6社
通訳者からの推薦・紹介があった人	11社
TOEIC900点以上	7社
TOEIC800点以上	1社
未経験者可	4社

＊『通訳・翻訳ジャーナル』編集部が2020年に通訳エージェントに行ったアンケートより

プロのキャリアと
仕事術

白倉淳一さん

きっかけ

何かを手放さないと手に入らないものがある

　「50歳で始めた通訳訓練」というブログが話題の白倉淳一さんは、その
タイトルどおり50歳で通訳訓練を始め、スクール在学中に会社員からフ
リーランスに転身した会議通訳者です。大学卒業後に勤めた空調設備会社
では、会計、労務管理、人事などを担当。25歳からの3年間は英国領香港
に滞在し、英語漬けの日々を過ごしました。現地では駐在員としての本業
が忙しく、語学習得のために特別なことはしませんでしたが、帰国してか
ら熱心に英語の勉強に取り組むようになりました。

　30年近く会社員生活を続け、40代後半になった2011年、東日本大震災が
起こります。ちょうどその頃、親しかった仕事仲間が相次いで亡くなって
しまうという悲しい出来事もありました。これらの経験を通して白倉さん
は、「人生は何が起こるかわからない」という思いを強くし、自身の生き方
や働き方について改めて考えるようになりました。

「今日と同じ明日が来るとは限らないのだから、やりたいことがあるなら
やってみよう、と思ったのです。振り返ってみると、ずいぶん思い切った
ことをしたものです。もし同じようなことをしようとしている人がいたら、
今なら『よく考えたほうがいい』と言うかもしれません（笑）」

　自分がやりがいを感じるのはどんな時か——。自問すると、社員教育や
定年準備セミナーなどで社内講師を務めた場面が思い浮かびました。目の

前にいる人から直接フィードバックがあったときの手応え。自分の知識や経験で困っている人を助けられたときの充実感。それに、人前で話すのは得意ですし、英語の勉強も地道に続けてきました。こうして白倉さんは、人と人とのコミュニケーションの仲立ちをする通訳者をめざすことにしたのでした。周囲の人たちは、フリーランスという不安定な立場になることを心配しましたが、それでも本人の意志は固かったといいます。白倉さんの胸には、「何かを手放さないと手に入らないものがある」という強い思いがあったのです。

二つの転機を経てプロとして本格稼働

　2012年4月にインタースクール「会議通訳コース」に入学し、同コースで2年間、専門的な通訳訓練を受けました。入学して半年後には、28年間勤めた会社を退社し、通訳技術の習得に専念することにしました。そして14年3月に最上級の一つ下のクラスを修了した頃、一つの転機が訪れます。当時開設されたばかりの「プロ速成科」に進むことになり、少数精鋭クラスでさらに通訳スキルを磨けるようになったのです。スクール母体の通訳会社から仕事の依頼があり、デビューを果たしたのも14年3月のことです。展示会で通訳を務めることになり、初めてプロとして現場に立ちました。

（しらくら・じゅんいち）
中央大学法学部卒。大学卒業後は空調設備会社とその関連会社に28年間勤務し、会計、労務管理、人事などの業務に従事する。1987〜90年、英領香港駐在。2012年、50歳の時にインタースクールで通訳訓練を受け始め、在学中に会社員からフリーランス通訳者への転身を果たす。得意分野は企業経営、エネルギー、ITなど。

「ひとたび現場に出ると、新人だろうが、初めての案件だろうが、自分はプロ。報酬をいただいて、まわりの方に頼りにされて、という感覚は教室では味わえないものでした。通訳とはこういう仕事なのだということがよくわかりました」

　スクール在学中に仕事を始めましたが、デビュー後しばらくは活躍する機会が少なかったといいます。通訳エージェントは、新人通訳者の仕事ぶりを見ながら、段階的に案件の難易度を上げて経験を積ませるものです。「プロ速成科」在籍中の白倉さんもまた、プロとはいえ、駆け出しの新人でした。そんな白倉さんにとって大きなチャンスとなったのが、14年8月に受注した2週間の出張を伴う案件です。発電所内にプラントを造る現場に赴き、炎天下の屋外で通訳するという過酷な仕事でしたが、クライアントから高い評価を得ることができました。

「事務職とはいえ空調設備会社にいたので、プラントがどんなものかというのはよくわかっていました。その知識のおかげで現場にうまく溶け込めたことがよかったのでしょう。この仕事で結果を出せたことが、通訳者としての第二の転機になりました」

　下積みの期間を経て、本格的に稼働し始めたのは15年春のことです。通訳スクール修了を一つの区切りに、学習者からプロへ完全に移行しました。

メリット

場の空気を読む能力は会社員時代に培った

　登録エージェントを徐々に増やし、通訳者仲間から紹介されたクライアント数社とは直接取引もしています。得意分野は企業経営、エネルギー、ITなどで、企業の経営会議や取締役会議、技術関連の打ち合わせなどで同時通訳や逐次通訳を行っています。通訳業界は国際会議が多い秋が繁忙期だといわれますが、主に社内会議の案件を受注している白倉さんは、1年を通してほぼ同じペースで稼働しています。コロナ禍前の受注件数は、年間200件を超えるまでになっていました。多忙な日々の中、事前準備の時間を確保するのに苦労したこともありましたが、新規案件の前後に得意分野の案件を組み合わせるなどしてスケジュール管理を行い、実績を作り上

げてきました。

　2020年のコロナ禍は、通訳業界全体に大きな環境の変化をもたらしました。通訳者が現場に出向くことは極端に少なくなり、遠隔通訳が主流になったのです。白倉さんはこの変化にいち早く反応し、行動を起こしました。コロナ前から海外との遠隔通訳に慣れていた通訳者仲間に先行事例を教わり、自身の電気工学に関する知識を生かして通信環境やハードウェア、ソフトウェアを整えました。そして、対応に苦慮しているクライアントやエージェントに対して、それまでより一歩踏み込んだ提案をするようになりました。

「私は会社員の経験があるので、お客様の困りごとを解決してお金をいただくのが仕事だと思っているところがあります。通訳者はもちろん専門職であり、通訳技能を売りにするのですが、お客様がお困りならば一緒に解決策を考えたい。こうした意識が結果的に付加価値を生み、新しいクライアントの獲得につながった気がします」

　会社員の経歴は、他にも通訳現場のあらゆるシーンで役立っているといいます。知らず知らずのうちに企業の雰囲気を感じ取る能力が身についていて、それが通訳のパフォーマンスにもよい影響を与えるそうです。

「通訳者は、ある言語を機械的に別の言語に置き換えるのではなく、話し手が本当に伝えたいことをニュアンスまで含めて聞き手に伝える必要があります。適切な訳出をするためには、話し手と聞き手の情報をインプットして解釈することも重要なのです。その意味で、場の空気を読める人が競争優位に立てると思います」

　一方で、50歳を過ぎてからの遅いスタートには不利な面もあります。通訳技術の習得に関しては問題ありませんでしたが、プロとして稼働できる期間が短いという現実があります。しかし本人は、この点についてあまり深刻には考えていないようです。

「やりたかった仕事で運よく生計を立てていられるから、これまでの投資を取り戻そうという気はそんなにないんです（笑）。会社員時代の友人は60歳から65歳で定年を迎えますが、自由業の私に定年はありません。自分で辞めたいと思うまでは現役でいられるのだから、プラスに考えられないこともないですね」

ボランティアの場に通訳の原点を見る

　地元の自治体では、仕事の合間を縫ってボランティアとして活動しています。言葉が通じず困っている外国人を助けるため、病院関係者や行政との間に立って問題解決に尽力します。思い出に残っている通訳を問うと、意外なことにボランティアで担当した案件が挙がりました。難しい病気の治療方針についての打ち合わせや、重度障害がある子どもの相談など、ボランティア通訳は人の一生を左右するような場面にかかわることがあります。それだけに印象深い現場になるのでしょう。

「ボランティアは、決してアマチュアがやるということではなくて、むしろプロの通訳者はこれだけのことができるというのを一般社会にアピールできる場でもあると思っています。本業優先なので機会は限られているのですが、できるだけ続けていきたいですね」

　通訳者がいないと言葉のやり取りができない人たちの間に入り、自分の通訳を介して両者がコミュニケーションできるようになるのを目撃するのがやりがいです。ボランティア通訳を思い出の通訳に挙げるのは、白倉さんがそこに通訳の原点を見ているからなのでしょう。長く独学を続けてきた英語を使って仕事ができることにも喜びを感じます。

　これまでのキャリアの中で多くの会議通訳を手がけてきましたが、大規模な国際会議の通訳の経験はまだわずかです。好奇心旺盛な白倉さんは、次のステップとして国際会議の同時通訳をさらに手がけてみたいと思っています。知らない世界に行き、初めての人と会い、初めての話を聞き、それを聞き手に伝えるという仕事は刺激にあふれています。その刺激があるからこそ、通訳という仕事を続けていこうと思うのです。

休業を経て心境に変化
家庭と自分と仕事のバランスの中で
できる仕事をやっていきたい

岩瀬和美さん

きっかけ

役員秘書のはずが、なぜか社内通訳者に

　岩瀬和美さんは、会議通訳者およびバイリンガルMCとして、IT、環境、エネルギー、金融、経営、製造など多分野で活躍しています。育児と仕事を両立させながら社内通訳者を経てフリーランスとなり、通訳歴はまもなく30年になります。

　キャリアの第一歩は、外資系企業の役員付き秘書というポジションから始まりました。1992年、名古屋にある国際特許事務所で特許翻訳に従事していた岩瀬さんのもとに転職の話が舞い込みます。業務内容は、「日本市場に新規参入する通信会社のアメリカ人役員秘書」でした。ところが、いざ仕事を始めてみると、予想外のことに対応しなければならなかったのです。「社内には通訳者が一人もいなかったので、役員が出席する会議に私も同席することになり、必然的に通訳を務めるようになりました。経験がないまま必要に迫られて始めたのですが、役員に『よくわかった』と言ってもらえたので、なんとか役目を果たせていたのかなという気がします」

　専門的な訓練を受けずに、いきなり通訳者に"なってしまった"岩瀬さんですが、当時は「外国人と日常的に接し、英語を使って仕事ができることが楽しくてしかたなかった」といいます。もともとは出版翻訳家志望であり、通訳という職業を考えたことはありませんでしたが、経験してみて初めてそのおもしろさを知ったのでした。

名古屋で秘書兼社内通訳者として働いたのは4年ほどです。この間、会社の事業が拡大するにつれて社外の通訳者と交流する機会が増え、プロのパフォーマンスを目の当たりにすることで通訳のスタンダードを学んでいきました。また、岩瀬さんの後に社内通訳者として入った同僚と勉強の場を設け、切磋琢磨しながらスキルアップに努めました。96年には上司の転勤に伴い東京へ。これをきっかけに、専門的な訓練を受けるべく通訳スクールにも通いました。

　2004年、10年以上勤めた会社を退社してフリーランスになりました。独立にあたって特に営業活動はしませんでしたが、社内通訳時代から付き合いのあった通訳者、法律事務所、コンサルティング会社などから仕事の紹介を受け、順調なスタートを切ることができました。

両立のコツ

アウトソーシングで難局を乗り切る

　岩瀬さんは、子育てをしながら社内通訳者、フリーランス通訳者として仕事をしてきました。産休から現場復帰したのは息子さんが0歳のとき。以来、家事育児の一部をアウトソーシングして仕事と育児を両立させてきました。特に苦労したのは、家事、育児、仕事にかける時間のやり繰りだったといいます。また、息子さんの急病やけがなど、予期せぬ出来事に対処

（いわせ・かずみ）
東京女子大学文理学部卒。特許翻訳者を経て外資系通信会社の役員付き秘書兼社内通訳者となる。2004年に独立し、以降、子育てをしながら会議通訳者およびバイリンガルMCとして活躍する。2011年から地方在住、15年に再び活動拠点を首都圏に移す。IT、環境、エネルギー、金融、経営、製造など多分野をカバー。

168

しなければならないという難しさもありました。

「子どもが熱を出したという連絡が入っても、どうしても現場を離れられず、仕事を終えてから迎えに行ったこともありました。フリーランスは仕事を急にキャンセルすることができないので、気が気ではない状況で通訳をしたことが何度もありました」

　育児をしながら通訳者としてもキャリアアップするには、アウトソーシングが不可欠でした。保育園のほか、ベビーシッターや家事代行サービスなどは、息子さんが0歳の頃から利用しました。また、病児保育に対応している施設や保育士の連絡先も常に持ち歩きました。息子さんが成長するにつれて、利用するサービスの内容は徐々に変化したといいます。

「保育園は夜遅くまで預かってくださるので、保育時間はあまり問題ではなく、病気になった際の対応が重要でした。小学校に上がってからは習い事などの送り迎え。家事代行サービスは週3回ずっと利用していました。仕事をしながら家事育児を完璧にこなすのはなかなか難しいことなので、お金を支払ってアウトソーシングするのも一つの方法だと思います。私の場合は、それが両立のコツでした」

仕事と育児

子どもとの時間を優先し休業を決意

　育児をしながら順調にキャリアアップを重ね、2008年には日本・ニュージーランド首脳会談の通訳も手がけるようになりました。まるで1日24時間フル稼働しているような日々でしたが、2011年に地方への転居を決意します。思春期を迎えた息子さんと向き合うため、いったん通訳業を休むという決断でした。

　移住した故郷の岐阜県では、息子さんと過ごす時間の合間にイギリスの専門学校の通信コースで学んだり、資格を取ったりしました。はじめの2年間はほとんど仕事をしない状態だったといいます。その後、息子さんのすすめもあり、名古屋の案件を受けはじめ、徐々に活動範囲を広げて首都圏の案件を受けるようになりました。

「通訳とは言わなかったけれど、『何でもいいから働きなよ』って言われま

して（笑）。本格的に通訳業を再開しましたが、名古屋－東京間の新幹線通勤ですから、朝5時に家を出て、夜9時頃に帰宅。それから家事をこなすという毎日。新幹線で爆睡していました」

2015年、息子さんのニュージーランド留学を機に、岩瀬さんは再び拠点を東京に移しました。会議通訳に完全復帰しましたが、それでも休業前と後では心理的に変化があったそうです。

「あのまま通訳の道を突き進んでいたら、今とは違う通訳者としてのキャリアを築いていたかもしれません。一度休業という選択をして戻ってきてからは、家庭と自分と仕事のバランスをうまく取りながら、その範囲でできる仕事をやっていきたいと思うようになりました」

高校留学を終えて帰国した息子さんは今、大学4年生。コロナ禍の中で学業と就職活動に励んでいます。一方の岩瀬さんは、体力的な変化と向き合いながら、今後の通訳業界でどのような働き方をしていくべきか考えているところです。

やりがい

通訳の魅力は、毎日何かを発見できるところにある

現在は、売上のうち7割が通訳エージェント経由、3割が直接取引の案件です。通訳エージェント4、5社からコンスタントに受注し、クライアントからリピート依頼を受けながら多忙な日々を送っています。バイリンガルMCとしても活動しているため、コロナ禍前はイベントのある週末にも稼働していました。とにかく好奇心が強く、勉強することが大好きという岩瀬さんは、いろいろな人と出会い、毎日何かを発見できるところに通訳の魅力があるといいます。

30年のキャリアの中で数多くの著名人と仕事をしましたが、特に思い出に残っているのは、アポロ11号搭乗員のバズ・オルドリン宇宙飛行士です。2008年にオルドリン氏が来日した際、イベントと記者取材で通訳を務めました。その時は、宇宙に行ったことがある人のスケールの大きさに圧倒されたといいます。

「それまで私がお会いした人の行動範囲は、せいぜい地球上のどこかでし

た。ところが、オルドリン氏は『月は近い』という感覚なんです。お話が壮大で本当におもしろかった。10年以上前の経験ですが、いちばん印象に残っているお仕事です」

"声による表現"と"ファシリテーション"

これまで自分が培ってきた強みと新しい環境を融合させたとき、何が生まれるかということを常に考えてきました。2020年はコロナ禍によって通訳環境が大きく変化したため、特にその思いを強くしたといいます。視線やジェスチャーで表現することが難しい遠隔通訳であっても、自分の持ち味を失わないようにするにはどうすればいいのか。考えた末に出た答えは、"声による表現"と"ファシリテーション"でした。

「声による表現とは、聞き手が音声だけを聞いて理解できるように、明瞭に発音し、抑揚をつけたり、話すペースを考えながら訳出することです。ファシリテーションは、お客様が認めてくださった場合に、通訳に加えて会議をより円滑に進めていくための役割を担うことです。Web上の会議やセミナーが増えるなかでファシリテーションをする機会が増えたのですが、よい評価をいただくことができました。今後は英語と日本語のファシリテーションにも力を入れていきたいです」

コロナ禍で通訳業界がダメージを受けたときは、通訳者仲間やエージェントと協力して、フリーランス通訳者が遠隔通訳システムの操作方法を学ぶ機会を提供しました。日本会議通訳者協会（JACI）では理事を務め、業界全体が発展するよう情報発信を続けています。フリーランス同士、横のつながりが大切だと知っている岩瀬さんだからこそ、仲間や後輩が集う場所を作ろうとしているのでしょう。

「通訳者が仕事をしていくうえでの問題を共有できる場があればいいと思います。不安を抱えている人がいたら、自分だけじゃないということを伝えていきたいですね」

映画と映画人を愛し、
大好きな世界で
スターの言葉を誠実に伝える

今井美穂子さん

きっかけ

業界内で映画の知識を培い、スクールで通訳を学ぶ

　映画業界を中心に芸能通訳者として活躍している今井美穂子さんは、1歳から10歳までをアメリカで過ごした帰国生です。映画好きの両親に連れられ、幼少期から映画館に通いました。自身も無類の映画好きですが、その原体験となったのがアメリカで観た『アマデウス』(1984年)でした。「子どもの好みに合わせてくれない親で、自分たちが観たいものを観に行くんです(笑)。私はもっぱら両親の後にくっついて行って、同じものを観せられる。そうやって、アメリカにいた頃からたくさんの映画を観て育ちました。『アマデウス』を観たのは9歳ぐらいでしたが、映像と音楽の力を初めて実感した感動的な映画体験だったのを覚えています」

　帰国後は日本の学校教育を受け、上智大学外国語学部英語学科に進みました。就職先に選んだのは映画配給会社。理由はもちろん、映画が好きだったからです。

　会社員時代は、バイヤーとして映画を買い付け、得意の英語を生かして海外交渉や法務業務にも携わりました。10年間で3社に勤め、メジャーからインディペンデント系まで多彩な作品を扱う中で、映画業界の常識や専門知識を身につけました。一方で、会社勤めのかたわら、専門的な通訳訓練を受けるために2005年から通訳スクールに通い始めました。
「映画の宣伝業務に就いていると、フリーの通訳者の仕事を拝見する機会が

多くあります。その仕事ぶりを見るうちに、いつかああいう仕事がしてみたいと憧れを抱くようになりました。性格的にも職人気質なところがあり、組織の一員として業務をこなすよりも一つの技術をきわめたいと思い、通訳者をめざすことにしました」

　2008年、通訳スクールの最上級クラスを修了したのを機に通訳者への転向を決意します。専属の会議通訳者という選択肢もありましたが、映画への思いは捨てがたく、そのまま映画業界にとどまる道を選びました。会社を辞め、フリーランスとして独立したのは翌09年のこと。会社員時代に築いた人脈や先輩通訳者の紹介で、海外の映画関係者の来日記者会見や映画祭、電話インタビューの通訳を受けるようになり、一つひとつの案件に誠実に取り組むことでクライアントを増やしていきました。

思い出の通訳

誰もが知る巨匠の通訳に挑み、壁を乗り越える

　まだ駆け出しだった2010年には、米アカデミー賞俳優ベニチオ・デル・トロと、『原爆の子』（1952年）、『裸の島』（1960年）など多数の有名作品を手がけ、海外からも高い評価を受ける巨匠、新藤兼人監督の対談を通訳するという大きな案件に恵まれました。デル・トロの大ファンだったこともあり、依頼を受けて舞い上がりましたが、新藤監督の通訳を務めること

（いまい・みほこ）
1歳から10歳まで米国で過ごす。上智大学外国語学部英語学科卒。大学卒業後は映画配給会社に入社し、映画の買い付け、海外交渉、法務などの業務に10年間従事する。2008年、サイマル・アカデミー卒業を機に独立し、以降、映画業界を中心にフリーランス通訳者として活躍している。

には相当のプレッシャーを感じたそうです。

「デル・トロの出演作品はすべて観ていたので準備の必要はなかったのですが、問題は新藤監督。当時、日本のクラシックスに関しては不勉強だったので、新藤監督の作品を十数本観たり、著書を読んだりして本番に備えました。ほかの日本の著名な映画監督についても話題に上ると予想し、黒澤明、溝口健二、小津安二郎監督作品も一通り勉強し直した記憶があります。当日は、予習した監督の作品の原題と英題を単語リストにして現場に入りました」

　のちに映画専門チャンネルで放映された対談を見たところ、通訳するときの自分の表情が緊張のあまりこわばっていたそうで、落ち着いた状態で訳出できなかったことを反省したとか。

「とはいえ、新人だったにもかかわらず大きなチャンスをいただけて本当によかった。今は感謝の気持ちでいっぱいです」

　最も思い出深い通訳といえば、現代の巨匠の一人、マーティン・スコセッシ監督との仕事です。その巨匠の通訳の話が舞い込んだのは2016年秋。『沈黙―サイレンス―』の日本公開をひかえ、16年10月と17年1月の2回にわたりプロモーション来日した監督の通訳を務めました。フリーランス通訳者になってさまざまな現場を経験し、場数も踏んできましたが、これほどの大物と仕事をするのは初めてのこと。打診のメールに身震いしながら返信したことを今でも覚えています。

「すごい案件が来ちゃった、というのが正直な気持ちでした。とてつもないプレッシャーとおそれを抱きながらも、『この壁を乗り越えなさい』という啓示のようにも感じてお引き受けすることにしました」

　実際に会ったスコセッシ監督の印象は、ひと言で表現するなら"歓びの人"だったといいます。映画が好きでたまらないという思いが全身からあふれ出ていて、周りにいる人もその思いに感染してしまうようでした。今井さん自身も、取材中は監督が憑依したように通訳をしていたそうです。とても大きなチャレンジでしたが、スコセッシ監督の通訳は、一つの壁を乗り越えたと思える経験になりました。

ひと言を適切に訳すためにできる限りの準備を

　来日記者会見、インタビュー、試写会、レッドカーペット、映画祭、日本外国特派員協会（FCCJ）での記者会見など、さまざまな場面で海外や日本の映画関係者の言葉を訳します。華やかなレッドカーペットの上を歩くセレブリティの言葉は素早くリズミカルに、世界に名だたる巨匠の記者会見はアカデミックに。このように、場の空気を読みながら訳出パターンを自在に使い分ける今井さんですが、どんな現場であろうといつも心がけていることがあります。

「私が最も大切にしているのは、話し手のメッセージを誠実に伝えることです。現場の環境や条件を意識しつつも、話し手が言おうとしていることをまっすぐに伝えようという気持ちは常に持ち続けています。それが私にとっての通訳の流儀であり、譲れない一点です」

　2020年は世界規模でコロナ禍に見舞われたため、Zoomインタビューが案件の中心を占めました。映画業界の通訳は、映画やコンテンツビジネスに対する深い知識が求められることから、クライアントは映画に詳しい人に直接仕事を依頼する傾向があります。現在、映画関連の仕事を中心に活躍する通訳者は全国で十数名という狭き門です。今井さんも映画配給会社や映画祭主催者、FCCJ（日本外国特派員協会）などから直接仕事を受注しています。

　案件を受注すると、宣伝対象の作品を観ることはもちろん、関連する過去作品の系譜や人物関係にまでさかのぼって背景を調べます。できる限りの準備をするのは、キャリアを重ねた今も変わりません。特に映画監督の通訳をする際には、抽象度の高い言葉を訳さなければならない場面が多く、話し手の意図を理解していないと対応しきれません。

「監督の発したひと言を訳すのにも、その監督の過去のある作品を観ているかどうかで言葉の選び方が変わってくることがあります。そういう難しさを日々感じているからこそ、事前準備を大切にしています」

映画に人生を賭けている人の
重みと深みがある言葉を受け渡す

　年間200本という指標を掲げ、あらゆるジャンルの映画を観ます。本音を言えばアメリカのインディーズ映画のファンですが、仕事となれば選り好みはしていられません。映画業界に入って20年余り、いつの間にか苦手なホラー映画にも詳しくなった自分がいます。

「先輩通訳者の中には350本観ている方もいるので、200本ぐらいでドヤ顔はできません（笑）。200本の中にはいろいろな映画がありますが、よく勉強してみると、どの作品にも製作者の熱い情熱が込められていることがわかります。そうなると、あまり得意ではないホラー映画にも愛着がわくし、おもしろいと思ってしまう。結果的にまんべんなく愛しちゃいますね」

　幼少期の海外体験、映画業界での勤務経験、通訳スクールで磨いた通訳力。芸能通訳者にとって理想的な条件を兼ね備えている今井さんですが、もしかしたら最大の武器は、そのあふれる映画愛なのかもしれません。大好きな世界にいて、愛する映画人の通訳ができるこの仕事に大きなやりがいと喜びを感じています。

「監督業をしている方のお話は本当に興味深い。哲学的なおもしろさや映画オタク的なおもしろさがあって一つに括るのは難しいけれど、人生を賭けて一つの仕事に向き合っている人の言葉には重みと深みがあります。そんな言葉を受け渡すことができるのが、通訳者としての私の喜びです」

> ジェネラリストであることが
> さまざまな経験と刺激をもたらし
> 通訳者として成長させてくれる

野沢里菜さん

きっかけ

海外大学院で集中的に通訳スキルを身につける

　野沢里菜さんは、フリーランスの会議通訳者として欧州を中心に活躍しています。2018年7月から21年2月までロンドン在住、その後、英領バミューダ諸島に生活拠点を移し、ロンドンとバミューダを行き来しながら仕事をしています。

　野沢さんが通訳者をめざしたのは大学3年生のときです。就職活動の時期になり、英語や文学を勉強してきた友人たちが金融業界や保険業界を志望する姿を見て、自分の将来を改めて考えるようになりました。
「せっかく英米文学を学んできたのだから、英語を生かせる職業に就きたいと思いました。大学で翻訳の授業を受けたことがあり、翻訳という作業が大好きだったので、英語を直接仕事にできる通訳翻訳が理想的な職業に思えたのです」

　卒業後に進んだのは英国バース大学通訳翻訳修士課程です。それまで海外経験がなかったため、英語圏で生活しながら生の英語を勉強したいという思いからの選択でした。自分が希望すれば1日24時間でも学業に集中できるところが大学院です。野沢さんも、留学期間の1年半は、文字どおり早朝から深夜まで通訳訓練に明け暮れたといいます。「人生であんなに勉強したことはないというくらい勉強しました」と、笑って当時を振り返ります。

177

大学院で通訳スキルを身につけ、在学中に通訳のアルバイトも経験しましたが、卒業後はロンドンにある版権会社に勤務します。あまりにハードだった大学院での通訳訓練をやり遂げた結果、通訳者になる前に少しだけ「寄り道」をして、人生経験を積もうと思ったのでした。その後、英科学誌の本社および東京支社で編集アシスタントを務め、2013年に在京の外資系広告代理店で社内通訳者のポジションを得ます。大学院を卒業してから通訳者になるまで、5年間の「寄り道」でした。

　ものづくりが好きで、クリエイティブ分野の通訳がしたいという理由から選んだ広告代理店では、社内外のプレゼンからコンペ、消費者調査、経営会議、人事、財務に至るまで、多岐にわたる案件の通訳を担当しました。毎日4〜5時間同時通訳を行い、空いた時間に資料を読み込んだり、翻訳をこなす日々。5年間の社内通訳の経験は、野沢さんを大きく成長させました。

専門以外にも果敢にチャレンジして対応分野を広げる

　2018年、家庭の事情でイギリスに戻ることになり、ロンドンへの転居を機に独立しました。イギリスにも社内通訳というポジションはありますが、金融機関や製造工場内に限られているため、広告やマーケティング分野を

（のざわ・りな）
2008年、英国バース大学通訳翻訳修士課程修了。英科学誌の編集アシスタント、外資系広告代理店の社内通訳者を経て、2018年よりフリーランス通訳者。ロンドンを拠点に広告、マーケティング、ビジュアルアート、一般科学、航空など多様な分野で活躍している。2021年2月より英領バミューダ諸島在住。

手がけたいと思っていた野沢さんは必然的にフリーランスを選びました。仕事を始めるにあたり、まずはイギリス国内と欧州の通訳翻訳エージェントに登録しました。また、以前から開設していた自身のWebサイトを更新したり、ビジネス特化型SNS「LinkedIn」のアカウント内容を充実させたりして、個人で情報発信できるようにしました。そのほか、バース大学時代の仲間と情報交換したり、J-Net（英国翻訳通訳協会の日本語専門ネットワーク）やエージェントが主催するワークショップに参加したりして、同業者とのネットワーク作りに努めました。

　フリーランスにとって、横のつながりは大切です。野沢さんも独立当初は人脈によって仕事を獲得しました。広告代理店時代の同僚から紹介を受け、航空関連の案件を受注することになったのです。
「イタリア北部に出張し、パイロットや整備士がトレーニングを受ける際の通訳を担当しました。当時は機械について何も知らなかったので、専門知識の面で不安もあったのですが、なんとか初回をクリアして、それから安定して仕事をいただけるようになりました」

　欧州で日英通訳者としてやっていくには、第一にジェネラリストであることが求められます。そのため、専門以外の分野にも果敢にチャレンジして対応分野を広げていく必要があります。野沢さんは、航空・機械に始まり製薬・医療、金融、Eコマースなど、新しい分野の案件も積極的に受けて専門知識を身につけ、クライアントやエージェントとの信頼関係を築いていきました。

海外生活

ロンドンから欧州各地に出張
週末には自宅に帰ることも

　4社の通訳翻訳エージェントからコンスタントに受注し、直接取引しているクライアントは3社あります。コロナ禍前は週5日、朝から夜まで同時通訳をしていました。週末は基本的に休むようにしていますが、急ぎの翻訳の依頼が入ると、休日返上で作業をすることもあります。

　クライアントはほぼ欧州の企業です。日本企業がクライアントのときも

Part 05 実践編 プロのキャリアと仕事術

ありますが、その場合は企業の海外支社が窓口になります。出張はかなり多く、これまでにスコットランド、イタリア、フランス、スイス、ベルギーなどに行きました。北イタリアの航空関連の案件は、短くて2週間、長い時は2カ月の滞在になります。もっとも、国境を越えるといっても移動時間が短いので、週末にはロンドンに帰ることもあるそうです。

2020年のコロナ禍以降、海外出張者がほとんど皆無になってしまったため、対面の通訳案件は激減しました。遠隔通訳に移行して市場が回復するまで数カ月かかりましたが、この間は翻訳の仕事の割合を増やして乗り切りました。海外在住の通訳者にとって、多分野に対応できることは一つの強みであり営業戦略でもありますが、翻訳ができることもまたリスク回避のためのポイントのようです。英科学誌の編集や社内翻訳の経験がある野沢さんは、フリーランス翻訳者としても実績があったため、コロナ禍のような難局にも対処できたのでしょう。

メリット

新しい世界は刺激にあふれている

フリーランスになって3年が過ぎました。日本国外にベースを置いていると、さまざまな分野の案件にめぐり会うチャンスがあります。野沢さんは、それがたまらなく刺激的だといいます。

「私のように航空分野の知識がなかった人間でも、思い切ってチャレンジすれば新しい世界が見えてくることがある。それは海外在住だからこそ得られる大きなメリットだと思うんです。同時にそれはデメリットでもあって、専門性を生かせるチャンスが少ないのは残念ですね」

大規模な国際会議で通訳をしたり、通訳者向けのウェビナーに参加したりすると、そこで知り合った他言語の通訳者とネットワークを築くことができます。また、日本から来た出張者の通訳を務めた後、打ち上げの席で業界の裏話や苦労話を聞くのも貴重な経験です。自身が出張に行くときは、業務終了後に地元の美術館を訪れるのを楽しみにしています。

このように、海外在住のメリットや楽しさはたくさんありますが、一方でジェネラリストならではの難しさもあります。新規案件では特に入念に

準備しますが、自分の方法が正しいかどうかがわからず、現場に行くまで不安がつきまといます。それはまるで「暗闇の中を手探りで歩くようなもの」。初めての会議をやり終えて感触をつかむまでは、試行錯誤の連続だそうです。

やりがい

バイリンガルからの褒め言葉が励みに

　自分が架け橋になることで言葉の壁がなくなり、何かが成し遂げられるのを目の当たりにしたとき、この仕事にやりがいを感じます。通訳を終えて褒め言葉をかけられるのもうれしいものです。2019年にヴィクトリア＆アルバート博物館別館でファッションデザイナー山本寛斎氏の通訳を務めたときのことはよく覚えています。アーティストトークの通訳として山本氏とともにステージに登壇し、ウィスパリングと逐次通訳を行いました。自身がパフォーマーであり、圧倒的な表現力で聴衆を惹きつけてしまう山本氏の通訳は、緊張とプレッシャーと興奮渦巻く1時間だったといいます。「舞台から降りて歩き回る寛斎さんについていって、身振り手振りを交えて逐次通訳をしました。あまりにもパワフルなトークだったので、終了後は魂を吸い取られたようでした（笑）。英語と日本語がわかる聴衆の方から『すばらしい通訳だった。かなり大変だったと思うけど』と声をかけられたときは本当にうれしかったですね。バイリンガルの方に褒めていただくと励みになります」

　2021年2月に移住したバミューダ諸島でも、遠隔通訳と翻訳を続け、海外在住の日英通訳者として稼働しています。コロナ禍が収束して対面の通訳案件が復活したら、欧州への出張を再開するつもりです。バミューダ諸島からニューヨークまでは飛行機で2時間の距離。イギリス在住時よりも、アメリカが近くなったことで新しい市場を開拓したいという意欲に燃えています。北米から欧州をまたにかけて活躍する野沢さんの姿が見られるのは、そう遠くない未来かもしれません。

主な通訳専門スクール
（通訳関連コースのあるスクール）

＊通訳者養成コースなどがある、通訳スキルが学べるスクールです。『通訳者・翻訳者になる本2022』（イカロス出版刊）に掲載の「全国・通訳スクール＆コースガイド」より一部抜粋したものです。
＊情報は2021年8月時点のものです。現在、開講しているかどうかはWebサイトでご確認ください。

地域	スクール
北海道	㈱イー・シー・プロ　北海道通訳アカデミー https://www.hokkaido-ia.jp
東京 神奈川	アイ・エス・エス・インスティテュート【東京校・横浜校】 https://www.issnet.co.jp
東京	アイケーブリッジ外語学院（韓国語・中国語） https://ikbridge.co.jp
東京	アンクレア・プロ通訳スクール http://www.enclair.co.jp
東京 大阪 ほか	インタースクール【東京校・大阪校・名古屋校・福岡校】 https://www.interschool.jp
東京	NHKグローバルメディアサービス　国際研修室 https://www.a.nhk-g.co.jp/kenshu
東京	㈱コミュニケーターズ　通訳養成・土曜学校 https://communicators.co.jp/doyowp
東京 大阪	サイマル・アカデミー　【東京校・大阪校】 https://www.simulacademy.com
東京	日米会話学院 https://www.nichibei.ac.jp
神奈川	CCアカデミー（中国語） https://www.cc-academy.jp
京都	アイビー・ランゲージ・ラボ http://www.ivy-intl.co.jp
京都	イクサス通訳スクール https://ichthus.interpreter.co.jp

主な通訳エージェント

*通訳請負、通訳者派遣などの業務を行っている会社です。『通訳者・翻訳者になる本2022』(イカロス出版刊)に掲載の「全国・通訳エージェントリスト」より一部抜粋したものであり、通訳エージェントは他にも多数あります。
*情報は2021年8月時点のものです。
*現在、通訳者の登録を受け付けているかどうかは、各社Webサイトでご確認ください。

㈱イー・シー・プロ
https://www.ec-pro.co.jp
㈱アーキ・ヴォイス
https://www.archi-voice.co.jp
㈱アイ・エス・エス
https://www.issjp.com
㈱アイコス
https://www.icos.co.jp
㈱アクセス・ワン
http://www.access-one-jp.com
㈱アミット
https://amitt.co.jp
㈱イー・シー・インターナショナル
https://www.ec-intl.co.jp
㈱インターグループ
https://www.intergroup.co.jp
M&Partners International
http://www.m-pa.net
㈱吉香
https://kikko.co.jp/work
㈱KYT
http://www.kytrade.co.jp
㈱コミュニケーターズ
https://www.communicators.co.jp
㈱コングレ・グローバルコミュニケーションズ
https://www.congre-gc.co.jp

㈱コンベンションリンケージ	
https://www.c-linkage.co.jp/ja/	
㈱サイマル・インターナショナル	
https://www.simul.co.jp	
㈱テンナイン・コミュニケーション	
https://www.ten-nine.co.jp	
日本コンベンションサービス㈱	
https://www.convention.co.jp	
NOVAホールディングス㈱	
https://www.nova.co.jp/biz	
㈱バイリンガルグループ	
http://www.bilingualgroup.co.jp	
ブレインウッズ㈱	
https://www.brainwoods.com	
㈱ホンヤク社	
https://www.translatejapan.com	
㈱マイアソシエイツ	
https://www.myasso.co.jp	
㈱エクスプレッションズ	
https://expressions.co.jp	
国際通訳㈱	
https://www.kokusai.ne.jp	
EJ Expert, Inc.	
https://www.ejexpert.com	

Data編

通訳者の仕事がよりわかる！
『通訳の仕事 始め方・続け方』
特典動画

計10本!

動画の視聴にはネット環境が必要です。
下記QRコード、もしくはURLよりアクセスしてください。
YouTube動画ですので、モバイル／タブレット、PCいずれからでも閲覧可能です。
書籍の特典動画となっておりますので、URLの第三者への開示、動画のダウンロードや第三者
への配布、他メディアへのアップロードなどの行為は禁止しております。
＊動画はすべて2021年8月に収録したものです。
＊動画での発表内容は講演者個人の見解に基づくものであり、日本会議通訳者協会の公式見解ではありません。
＊動画についての質問は info@japan-interpreters.org（日本会議通訳者協会）までお問い合わせください。
＊動画は2026年12月末までは視聴可能です。その後は、視聴ができなくなる可能性もありますので、ご了承ください。

▶ 特典動画 **1**

「海外大学院に行ってみた」座談会
（留学経験者・丹羽つくもさん（司会）／
ニコラス・コンチーさん／渡部美樹さん／
石井悠太さん／渡辺有紀さん）
約60分

【URL】 https://youtu.be/Xq7_1ijE1vg

▶ 特典動画 **2**

プロとして進化し続けるための
案件記録
（解説：会議通訳者 菱田奈津紀さん）
約15分

【URL】 https://youtu.be/Hc4mkTzPAqU

▶ 特典動画 **3**

効果的な通訳準備の
フォーマット
（解説：会議通訳者 菱田奈津紀さん）
約10分

【URL】 https://youtu.be/PHQqQa9jrWA

▶ 特典動画 **4**

同時通訳ユニットの使い方
（解説：バルビエコーポレーション
株式会社）
約5分

【URL】 https://youtu.be/QoHwKFwjTYY

▶ 特典動画 5

録音同通の効率的な方法
（解説：会議通訳者
ブラッドリー純子さん）
約65分

【URL】https://youtu.be/dUhqcBeUxLk

▶ 特典動画 6

『通訳の仕事 始め方・続け方』 Part 2 解説
（解説：会議通訳者 グリーン裕美さん）
約32分

【URL】https://youtu.be/8vWfEHx-jOE

▶ 特典動画 7

英日サイトトランスレーション ～もう一つの観点から
（解説：会議通訳者 白倉淳一さん）
約48分

【URL】https://youtu.be/_ntOwsdwol4

▶ 特典動画 8

正攻法による数字の攻略
（解説：会議通訳者 白倉淳一さん）
約20分

【URL】https://youtu.be/tkC7WZMuTGg

▶ 特典動画 9

通訳の三原則
（解説：会議通訳者 関根マイクさん）
約20分

【URL】https://youtu.be/GW7JsH7rMM4

▶ 特典動画 10

ジョークをどう訳すか
（解説：会議通訳者 関根マイクさん）
約14分

【URL】https://youtu.be/lp9c3Ewh_3E

執筆協力 (掲載順)

Part2　42〜63ページ

グリーン裕美 (ぐりーん・ひろみ) さん

国際会議／外交通訳、Grins Academy代表。在英歴20年超。英国の複数の大学院にて非常勤講師。英国翻訳通訳協会 (ITI) 通訳認定試験2018年最優秀賞。翻訳書に『ゴールは偶然の産物ではない』『GMの言い分』『市場原理主義の害毒』など、辞書編纂にLongman、Collins、Oxford、Cambridgeなどがある。

森田系太郎 (もりた・けいたろう) さん

会議通訳・翻訳者 (専門：製薬)。モントレー国際大学院 (翻訳通訳学 [修士] 会議通訳専攻)、立教大学 (社会デザイン学 [博士]) 卒。編著書に『環境人文学Ⅰ／Ⅱ』(勉誠出版／2017年) がある。日本会議通訳者協会 (JACI) 理事、立教大学・兼任講師／研究員。国連英検・特A級 (外務大臣賞)。

Part3　94〜104ページ

菱田奈津紀 (ひしだ・なつき) さん

会議通訳者。Beyond Language代表。ロサンゼルス留学で通訳技術を学び、帰国後は外資系企業の社長や取締役などVIP専属通訳を10年間務める。その後独立し、現在は国際会議や政治、外交、ビジネスなどの分野で会議通訳者として活動する。

Part3　105〜110ページ

山本みどり (やまもと・みどり) さん

日英会議通訳者。山本ランゲージサービス代表。小売、IT企業の社内通訳を経て、2009年よりフリーランスとして活動。近年ではサイバーセキュリティ案件を中心に請け負い、最近ではAIや量子コンピューティングの分野の案件も数多くこなす。

Part4　116〜129ページ

仲田紀子 (なかた・のりこ) さん

仲田組代表。長野冬季オリンピックにて通訳デビュー。建築、ビジネス、司法、アート、製造業などの分野で会議通訳者の経験を積む。現在は建築・建設に特化した通訳・翻訳を請け負う。

Part4　136〜141ページ

関根マイク (せきね・まいく) さん

関根アンドアソシエーツ代表。日本会議通訳者協会 (JACI) 理事。FIFA (国際サッカー連盟) 公式通訳者。カナダ留学中に通訳者デビューし、以降、政治経済、法律、ビジネス、スポーツなどの分野を中心に会議通訳者として活動している。著書に『通訳というおしごと』、『同時通訳者のここだけの話』(アルク) がある。

188

Part4 146〜159ページ

ブラッドリー純子 (ぶらっどりー・じゅんこ) さん

会議通訳者、EJ EXPERT代表、20代で米国留学し経営学を学ぶ。日系大手企業にて社内通訳を務めた後、会議通訳者として独立。通訳・翻訳会社を設立し、オンライン通訳講座で多くのプロを育成。テクノロジー企業を中心に日本の官公庁や米政府機関、ニューヨーク国連本部において国際会議などを手がける。遠隔同時通訳の実績も豊富。カリフォルニア在住。

Part4 146〜159ページ、142〜145ページ

巽 美穂 (たつみ・みほ) さん

製薬会社、IT企業、広告代理店、戦略コンサルファームで社内通訳者として勤務後、東京拠点のフリーランス会議通訳者に。テクノロジー好き。以前からRSIや遠隔案件を経験していたため、コロナ禍の遠隔シフトもスムーズだった。社内会議や研修から医学会、KOL会議、監査等の通訳業務を行っている。

取材など協力

Part3 82〜85ページ

M&Partners International エム・アンド・パートナーズ　インターナショナル

1999年創業。通訳・翻訳をはじめとする言語サービスをメインに、海外ビジネス支援や人材育成支援などを手がける。言語サービスでは通訳・翻訳ともに幅広い案件を扱い、通訳では遠隔同時通訳にいち早く対応。登録通訳者は約600人、トップクラスの通訳者に加え、子どもを持つ女性通訳者も多数活躍中。
http://www.m-pa.net

動画ほか

バルビエコーポレーション株式会社

2017年創業。通訳機材はもちろんのこと、遠隔通訳システムのノウハウが豊富。東南アジア・中国にもネットワークがあり、海外での機材運用も可能。
http://barbier-biz.jp

＜Part2 42〜63ページの参考文献＞
Conference Interpreting: A Student's Practice Book（Andrew Gillies著／Routledge／2013年）
Note-taking Manual: A Study Guide for Interpreters and Everyone Who Takes Notes （Virginia Valencia著／CreateSpace Independent Publishing Platform／2013年）
Conference Interpreting Explained（Roderick Jones著／St. Jerome Publishing／2002年）

一般社団法人 日本会議通訳者協会
(JACI : Japan Association of Conference Interpreters)

一般社団法人 日本会議通訳者協会は2015年4月1日に発足した日本唯一の「会議通訳者による会議通訳者のための」非営利通訳者団体です。会議通訳者間の情報交換、通訳業界に関する情報発信、通訳者の育成、通訳者の社会的地位の向上などを主な目的としています。

毎年春から初夏にかけて開催される日本語・英語ペアの同時通訳グランプリは世界最大規模を誇り、夏には業界の最前線を走る実務者や研究者を集めた日本通訳フォーラムを開催しています。会員向けに用意された記事や動画コンテンツも豊富です。

JACI認定会員になるには国際会議での稼働実績200日（およそ1,500時間）以上など、厳しい認定条件を満たさなければなりませんが、正会員としての入会はすべての業界関係者や研究者、学生などに開かれています。詳しい組織概要や入会手続きについては公式Webサイトの情報をご確認ください。

一般社団法人 日本会議通訳者協会
https://www.japan-interpreters.org

通訳の仕事 始め方・続け方

2021年10月10日発行

発行人	山手章弘
編　者	通訳・翻訳ジャーナル編集部
	一般社団法人　日本会議通訳者協会(JACI)
ライター	岡崎智子
イラスト	井竿真理子
カバーデザイン	松元千春
本文デザイン	松元千春
	丸山結里
発行所	イカロス出版株式会社
	〒162-8616
	東京都新宿区市谷本村町2-3
	［電話］03-3267-2766（販売部）
	03-3267-2719（編集部）
	［URL］https://www.ikaros.jp
印刷所	図書印刷株式会社